À L'AMI
QUI NE M'A PAS
SAUVÉ LA VIE

HERVÉ GUIBERT

À L'AMI
QUI NE M'A PAS
SAUVÉ LA VIE

roman

nrf

GALLIMARD

1

J'ai eu le sida pendant trois mois. Plus exactement, j'ai cru pendant trois mois que j'étais condamné par cette maladie mortelle qu'on appelle le sida. Or je ne me faisais pas d'idées, j'étais réellement atteint, le test qui s'était avéré positif en témoignait, ainsi que des analyses qui avaient démontré que mon sang amorçait un processus de faillite. Mais, au bout de trois mois, un hasard extraordinaire me fit croire, et me donna quasiment l'assurance que je pourrais échapper à cette maladie que tout le monde donnait encore pour incurable. De même que je n'avais avoué à personne, sauf aux amis qui se comptent sur les doigts d'une main, que j'étais condamné, je n'avouai à personne, sauf à ces quelques amis, que j'allais m'en tirer, que je serais, par ce hasard extraordinaire, un des premiers survivants au monde de cette maladie inexorable.

2

Ce jour où j'entreprends ce livre, le 26 décembre 1988, à
Rome, où je suis venu seul, envers et contre tous, fuyant
cette poignée d'amis qui ont tenté de me retenir, s'inquiétant de ma santé morale, en ce jour férié où tout est fermé et
où chaque passant est un étranger, à Rome où je m'aperçois
définitivement que je n'aime pas les hommes, où, prêt à tout
pour les fuir comme la peste, je ne sais donc pas avec qui ni
où aller manger, plusieurs mois après ces trois mois au cours
desquels en toute conscience j'ai été assuré de ma condamnation, puis de ces autres mois qui ont suivi où j'ai pu, par
ce hasard extraordinaire, m'en croire délivré, entre le doute
et la lucidité, au bout du découragement tout autant que de
l'espoir, je ne sais pas non plus à quoi m'en tenir sur rien de
ces questions cruciales, sur cette alternative de la condamnation et de sa rémission, je ne sais si ce salut est un leurre
qu'on a tendu devant moi comme une embuscade pour
m'apaiser, ou s'il est pour de bon une science-fiction dont je
serais un des héros, je ne sais s'il est ridiculement humain de
croire à cette grâce et à ce miracle. J'entrevois l'architecture
de ce nouveau livre que j'ai retenu en moi toutes ces
dernières semaines mais j'en ignore le déroulement de bout

en bout, je peux en imaginer plusieurs fins, qui sont toutes pour l'instant du ressort de la prémonition ou du vœu, mais l'ensemble de sa vérité m'est encore caché ; je me dis que ce livre n'a sa raison d'être que dans cette frange d'incertitude, qui est commune à tous les malades du monde.

3

Je suis seul ici et l'on me plaint, on s'inquiète pour moi, on trouve que je me maltraite, ces amis qui se comptent sur les doigts d'une main selon Eugénie m'appellent régulièrement avec compassion, moi qui viens de découvrir que je n'aime pas les hommes, non, décidément, je ne les aime pas, je les haïrais plutôt, et ceci expliquerait tout, cette haine tenace depuis toujours, j'entreprends un nouveau livre pour avoir un compagnon, un interlocuteur, quelqu'un avec qui manger et dormir, auprès duquel rêver et cauchemarder, le seul ami présentement tenable. Mon livre, mon compagnon, à l'origine, dans sa préméditation si rigoureux, a déjà commencé à me mener par le bout du nez, bien qu'apparemment je sois le maître absolu dans cette navigation à vue. Un diable s'est glissé dans mes soutes : T.B. Je me suis arrêté de le lire pour stopper l'empoisonnement. On dit que chaque réinjection du virus du sida par fluides, le sang, le sperme ou les larmes, réattaque le malade déjà contaminé, on prétend peut-être ça pour limiter les dégâts.

4

Le processus de détérioration amorcé dans mon sang se poursuit de jour en jour, assimilant mon cas pour le moment à une leucopénie. Les dernières analyses, datées du 18 novembre, me donnent 368 T4, un homme en bonne santé en possède entre 500 et 2 000. Les T4 sont cette partie des leucocytes que le virus du sida attaque en premier, affaiblissant progressivement les défenses immunitaires. Les offensives fatales, la pneumocystose qui touche les poumons et la toxoplasmose le cerveau, s'enclenchent dans la zone qui descend en dessous de 200 T4 ; maintenant on les retarde avec la prescription d'AZT. Dans les débuts de l'histoire du sida, on appelait les T4 « the keepers », les gardiens, et l'autre fraction des leucocytes, les T8, « the killers », les tueurs. Avant l'apparition du sida, un inventeur de jeux électroniques avait dessiné la progression du sida dans le sang. Sur l'écran du jeu pour adolescents, le sang était un labyrinthe dans lequel circulait le Pacman, un shadok jaune actionné par une manette, qui bouffait tout sur son passage, vidant de leur plancton les différents couloirs, menacé en même temps par l'apparition proliférante de shadoks rouges encore plus gloutons. Si l'on applique le jeu du Pacman, qui a mis du temps à se démoder, au sida, les T4 formeraient la population initiale du labyrinthe, les T8 seraient les shadoks jaunes, talonnés par le virus HIV, symbolisé par les shadoks rouges, avides de boulotter de plus en plus de plancton immunitaire. Bien avant la certitude de ma maladie sanctionnée par les analyses, j'ai senti mon sang tout à coup découvert, mis à nu, comme si un vêtement ou un capuchon l'avaient toujours protégé, sans que j'en aie conscience puisque cela était naturel, et que quelque chose, je ne comprenais pas quoi, les ait retirés. Il me fallait vivre, désormais, avec ce sang dénudé et exposé, comme le corps dévêtu qui doit traverser le cauchemar. Mon sang démasqué, partout et en tout lieu, et à jamais, à moins d'un miracle sur d'improbables transfusions, mon sang nu à toute heure, dans les transports publics, dans la rue quand je marche, toujours guetté par une flèche qui me vise à chaque instant. Est-ce que ça se voit dans les yeux ? Le souci n'est plus tant de conserver un regard humain que d'acquérir un regard trop humain, comme celui des prisonniers de *Nuit et brouillard*, le documentaire sur les camps de concentration.

5

J'ai senti venir la mort dans le miroir, dans mon regard dans le miroir, bien avant qu'elle y ait vraiment pris position. Est-ce que je jetais déjà cette mort par mon regard dans les yeux des autres ? Je ne l'ai pas avoué à tous. Jusque-là, jusqu'au livre, je ne l'avais pas avoué à tous. Comme Muzil, j'aurais aimé avoir la force, l'orgueil insensé, la générosité aussi, de ne l'avouer à personne, pour laisser vivre les amitiés libres comme l'air et insouciantes et éternelles. Mais comment faire quand on est épuisé, et que la maladie arrive même à menacer l'amitié ? Il y a ceux à qui je l'ai dit : Jules, puis David, puis Gustave, puis Berthe, j'avais voulu ne pas le dire à Edwige mais j'ai senti dès le premier déjeuner de silence et de mensonge que ça l'éloignait horriblement de moi et que si l'on ne prenait pas tout de suite le pli de la vérité ça deviendrait ensuite irrémédiablement trop tard, alors je le lui ai dit pour rester fidèle, j'ai dû le dire à Bill par la force des choses et il m'a semblé que je perdais à cet instant toute liberté et tout contrôle sur ma maladie, et puis je l'ai dit à Suzanne, parce qu'elle est si vieille qu'elle n'a plus peur de rien, parce qu'elle n'a jamais aimé personne sauf un chien pour lequel elle a pleuré le jour où elle l'a envoyé à la fourrière, Suzanne qui a quatre-vingt-treize ans et dont j'égalisais notre potentiel de vie par cet aveu, que sa mémoire pouvait aussi rendre irréel ou effacer d'un instant à l'autre, Suzanne qui était tout à fait prête à oublier sur-le-champ une chose aussi énorme. Je ne l'ai pas dit à Eugénie, je déjeune avec elle à *La Closerie,* est-ce qu'elle le voit dans mes yeux ? Je m'ennuie de plus en plus avec elle. J'ai l'impression de n'avoir plus de rapports intéressants qu'avec les gens qui savent, tout est devenu nul et s'est effondré, sans valeur et sans saveur, tout autour de cette nouvelle, là où elle n'est plus traitée au jour le jour par l'amitié, là où mon refus m'abandonne. L'avouer à mes parents, ce serait m'exposer à ce que le monde entier me chie au même moment sur la gueule, ce serait me faire chier sur la gueule par tous les minables de la terre, laisser ma gueule concasser par leur merde infecte. Mon souci principal, dans cette histoire, est de mourir à l'abri du regard de mes parents.

6

Je l'ai compris comme ça, et je l'ai dit au docteur Chandi dès qu'il a suivi l'évolution du virus dans mon corps, le sida n'est pas vraiment une maladie, ça simplifie les choses de dire que c'en est une, c'est un état de faiblesse et d'abandon qui ouvre la cage de la bête qu'on avait en soi, à qui je suis contraint de donner pleins pouvoirs pour qu'elle me dévore, à qui je laisse faire sur mon corps vivant ce qu'elle s'apprêtait à faire sur mon cadavre pour le désintégrer. Les champignons de la pneumocystose qui sont pour les poumons et pour le souffle des boas constricteurs et ceux de la toxoplasmose qui ruinent le cerveau sont présents à l'intérieur de chaque homme, simplement l'équilibre de son système immunitaire les empêche d'avoir droit de cité, alors que le sida leur donne le feu vert, ouvre les vannes de la destruction. Muzil, ignorant la teneur de ce qui le rongeait, l'avait dit sur son lit d'hôpital, avant que les savants le découvrent : « C'est un machin qui doit nous venir d'Afrique. » Le sida, qui a transité par le sang des singes verts, est une maladie de sorciers, d'envoûteurs.

7

Le docteur Chandi, que je consultais depuis au moins un an, ayant quitté sans l'avertir le docteur Nacier que j'accusais d'indiscrétion, cancanant sur les couilles plus ou moins pendantes de certains patients célèbres, mais auquel je reprochais plus encore, en vérité, d'avoir ajouté, au moment où il diagnostiquait mon zona, qu'on constatait une recrudescence de cette résurgence de la varicelle chez des sujets séropositifs, m'étant refusé à faire le test jusqu'alors, accumulant dans des tiroirs depuis des années ses différentes ordonnances prescrites à mon nom ou à des noms d'emprunt pour me soumettre au test du dépistage du sida, dénommé LAV puis HIV, prétextant que c'était acculer au suicide un bonhomme inquiet comme moi, persuadé de connaître le résultat du test sans avoir besoin de le faire, ou bien lucide ou bien leurré, affirmant en même temps que la moindre des moralités consistait à se comporter dans les relations amoureuses, qui avaient tendance à décroître avec l'âge, comme un homme atteint, pensant souterrainement quand on traversait une phase d'espoir que c'était aussi le moyen de se protéger, mais décrétant que ce test ne servait à rien qu'à pousser les malheureux au pire désespoir tant qu'on ne trouverait pas un traitement, c'était précisément cela que j'avais répondu à ma mère qui m'avait prié dans une lettre, l'atroce égoïste, de la rassurer quant à cette inquiétude, le docteur Chandi, ce nouveau généraliste que m'avait indiqué Bill en vantant sa discrétion, stipulant même qu'il soignait un ami commun atteint par le sida, que j'identifiais par là immédiatement, et que l'absolue discrétion du médecin, malgré la célébrité de son patient, avait jusque-là protégé de la rumeur, chaque fois qu'il m'examinait, procédait dans le même ordre aux mêmes opérations : après les coutumières prise de tension et auscultation, il inspectait les voûtes plantaires et les échancrures de peau entre les doigts de pied, puis il écartait délicatement l'accès au canal si facilement irritable de l'urètre, alors je lui rappelai, après qu'il m'eut palpé l'aine, le ventre, les aisselles et la gorge sous les maxillaires, qu'il était inutile de me tendre le bâtonnet de bois clair dont ma langue refuse obstinément tout contact depuis que je suis petit, préférant ouvrir très grand ma bouche à l'approche du faisceau lumineux, pressurant par une contraction des muscles gutturaux la luette au plus profond du palais, mais le docteur Chandi oubliait chaque fois à quel point cet entraînement lui laissait le champ libre davantage que le bâtonnet lisse truffé d'échardes mentales, il avait ajouté dans le cours de l'examen, à l'inspection du voile du palais, et cela de façon un peu appuyée, comme si c'était à moi ensuite, par d'incessants contrôles personnels, de vérifier que ne s'était niché dans cet espace un signe décisif quant à l'évolution de la fatale maladie, une observation de l'état des tissus qui bordent les nerfs, souvent bleutés ou rouge vif, qui accrochent la langue à son frein. Puis, en retenant le crâne par-derrière dans une main et en appuyant le pouce et l'index de l'autre, par une forte pression, au milieu du front, il me demandait si ça faisait mal en fixant les réactions de mon iris. Il clôturait l'examen en s'enquérant si je n'avais pas eu ces derniers temps de nombreuses et incessantes diarrhées. Non, tout allait bien, grâce à l'absorption d'ampoules de Trophisan à base de glucides j'avais récupéré mon poids d'avant l'amaigrissement par le zona, c'est-à-dire soixante-dix kilos.

8

C'est Bill qui le premier me parla de la fameuse maladie, je dirais en 1981. Il revenait des Etats-Unis où il avait lu, dans une gazette professionnelle, les premiers comptes rendus cliniques de cette mort particulièrement engendrée. Lui-même l'évoquait comme un mystère, avec réalité et scepticisme. Bill est le manager d'un grand laboratoire pharmaceutique producteur de vaccins. Dînant seul à seul avec Muzil, je lui rapportai dès le lendemain l'alarme colportée par Bill. Il se laissa tomber par terre de son canapé, tordu par une quinte de fou rire : « Un cancer qui toucherait exclusivement les homosexuels, non, ce serait trop beau pour être vrai, c'est à mourir de rire ! » Il se trouve qu'à cet instant Muzil était déjà contaminé par le rétrovirus, puisque son laps d'incubation, Stéphane me l'a appris l'autre jour, on le sait maintenant mais on ne l'ébruite pas pour éviter la panique parmi les milliers d'êtres séropositifs, serait de six ans assez exactement. Quelques mois après que j'eus suscité ce fou rire chez Muzil, il s'abîma dans une sévère dépression, c'était l'été, je percevais sa voix altérée au téléphone, depuis mon studio je fixais avec désolation le balcon de mon voisin, c'est ainsi que discrètement j'avais dédié un livre à Muzil, « A mon voisin », avant de devoir dédier le prochain « A l'ami mort », je craignais qu'il ne se jette de ce balcon, je tendais d'invisibles filets de ma fenêtre jusqu'à la sienne pour le secourir, j'ignorais quel était son mal mais je comprenais à sa voix qu'il était grand, je sus par la suite qu'il ne l'avoua à personne sauf à moi, il me dit ce jour-là : « Stéphane est malade de moi, j'ai enfin compris que je suis la maladie de Stéphane et que je le resterai toute sa vie quoi que je fasse, sauf si je disparais ; l'unique moyen de le délivrer de sa maladie, j'en suis sûr, serait de me supprimer. » Mais les jeux étaient déjà faits.

9

A cette époque le docteur Nacier, qui était encore un ami, et qui, après un long séjour à l'hôpital de Biskra où en tant qu'interne il avait honoré ses obligations militaires, s'orienta vers la gériatrie, travaillait dans un hospice de vieillards à la périphérie parisienne, où il m'invita à lui rendre visite, muni d'un appareil photo que je pourrais aisément camoufler dans la poche de la blouse blanche qu'il me ferait revêtir afin de me faire passer pour un de ses collègues lors de la consultation générale. A cause du roman-photo que j'avais consacré à mes grand-tantes, alors respectivement âgées de quatre-vingt-cinq ans et soixante-quinze ans, le docteur Nacier croyait que je cachais une certaine attirance pour les chairs moribondes. Il s'était trompé du tout au tout sur mon compte, car je ne pris pas une seule photo dans cet hospice de vieillards, je ne fus d'ailleurs tenté d'en prendre aucune, cette visite en déguisé me fit honte et horreur. Le docteur Nacier, ce beau garçon qui plaisait aux vieilles femmes, cet ancien mannequin qui avait tenté sans succès une carrière d'acteur avant d'entrer à la faculté de médecine la mort dans l'âme, ce bellâtre qui se vantait d'avoir été violé à l'âge de quinze ans, au *Grand*

Hôtel de Vevey où il était descendu avec ses parents peu avant l'accident d'automobile qui allait être fatal à son père, par un des acteurs qui avait tenu le rôle de James Bond, cet ambitieux ne pouvait se résoudre à une carrière de généraliste qui prend quatre-vingt-cinq francs par consultation aux clients bedonnants, puants et tatillons, tous hypocondriaques, d'un cabinet de quartier qui se mue facilement en fosse d'aisance. C'est la raison pour laquelle il tenta d'abord de s'illustrer dans la création d'un mouroir design, de marque déposée, qui, sous la forme d'une clinique high-tech, ou kit, substituerait aux longues agonies nauséabondes les transits expéditifs et féeriques d'un voyage pour la lune en première classe, non remboursé par la sécu. Pour obtenir l'aval des banques, le docteur Nacier devait dénicher l'autorité morale qui empêcherait qu'on trouve ambigu un tel dessein. Muzil était ce parrain idéal. Par mon entremise, le docteur Nacier eut facilement un rendez-vous avec lui. Je devais dîner avec Muzil après leur entrevue. Je le surpris l'œil brillant, dans un état de gaieté insensée. Ce projet, auquel il n'accordait en même temps, raisonnablement, aucun crédit, l'excitait comme une puce. Muzil n'a jamais eu autant de fous rires que lorsqu'il était mourant. Une fois que le docteur Nacier fut parti, il me dit : « C'est ce que je lui ai conseillé, à ton petit copain, son truc ça ne devrait pas être une institution où l'on vient mourir, mais où l'on vient faire semblant de mourir. Tout y serait splendide, en effet, avec des peintures somptueuses et des musiques suaves, mais seulement pour mieux dissimuler le pot aux roses, car il y aurait une petite porte dérobée tout au fond de cette clinique, peut-être derrière un de ces tableaux propres à faire rêver, dans la mélodie engourdis-

24

sante du nirvana d'une piqûre, on se glisserait en douce derrière le tableau, et hop, on disparaîtrait, on serait mort aux yeux de tous, et on réapparaîtrait sans témoin de l'autre côté du mur, dans l'arrière-cour, sans bagage, sans rien dans les mains, sans nom, devant inventer sa nouvelle identité. »

Son nom était devenu une hantise pour Muzil. Il voulait l'effacer. Je lui avais commandé un texte sur la critique pour ce journal auquel je collaborais, il rechignait, en même temps ne voulait pas me faire de la peine, prétextait d'atroces maux de crâne qui paralysaient son travail, je lui suggérai enfin de publier cet article sous un nom d'emprunt, le surlendemain je recevais par courrier un texte de lui, limpide et incisif, avec ce mot : « Par quelle merveille d'intelligence as-tu compris que ce n'est pas la tête qui fait problème, mais le nom ? » Il proposa comme surnom Julien de l'Hôpital, et, chaque fois que je lui rendis visite, deux ou trois ans plus tard, à l'hôpital où il agonisait, je repensai à ce pseudonyme funeste qui ne vit jamais le jour, car évidemment ce grand quotidien qui m'employait n'avait que faire d'un texte sur la critique signé Julien de l'Hôpital, un double resta longtemps dans le classeur d'une secrétaire, il en avait disparu quand Muzil me le réclama, j'en retrouvai l'original chez moi et le lui rendis, Stéphane s'aperçut à sa mort qu'il l'avait détruit, comme tant d'écrits, précipitamment, les quelques mois qui avaient précédé son écroulement. Je fus sans doute responsable de la destruction d'un manuscrit entier sur Manet, dont il avait un jour évoqué l'existence, et que je lui réclamai une autre fois, le priant de me faire la confiance de ce prêt, qui aurait peut-être pu nourrir un travail que j'avais entamé, intitulé « La peinture des morts », qui resta inachevé. C'est à la faveur de ma demande que Muzil, qui m'avait promis d'y donner suite positivement, prit la peine de rechercher ce manuscrit dans son fouillis, mit la main dessus, le relut, et l'anéantit le jour même. Sa destruction représenta la perte de dizaines de millions pour Stéphane, bien que Muzil ait laissé pour seul testament quelques phrases laconiques, sans doute mûrement réfléchies, qui détachaient son travail de toute emprise, à la fois matériellement de la famille en léguant ses manuscrits à son conjoint, et moralement de son conjoint en l'empêchant, par l'interdiction de toute publication posthume, de calquer son propre travail sur les vestiges du sien, l'obligeant à suivre une voie distincte, et limitant par là les dommages qu'on aurait pu intenter à son œuvre. Stéphane réussit pourtant à faire de la mort de Muzil son travail, c'est peut-être ainsi que Muzil avait pensé lui faire cadeau de sa mort, en inventant le poste de défenseur de cette mort nouvelle, originale et terrible.

11

De même qu'il veillait, hors des limites dont il circonscrivait son œuvre, à effacer ce nom que la célébrité avait enflé démesurément par le monde entier, il visait à faire disparaître son visage, pourtant si particulièrement reconnaissable par diverses caractéristiques et par les nombreux portraits que la presse diffusait de lui depuis une dizaine d'années. Quand il lui arrivait d'inviter au restaurant l'un de ses quelques amis, dont il avait vertigineusement réduit le nombre les années qui précédèrent sa mort, repoussant les connaissances dans une zone lointaine de l'amitié qui le dispensait soudain de les fréquenter, limitant leurs rapports à un mot de temps en temps ou à un coup de téléphone, à peine entré dans le restaurant, au risque de bousculer l'un de ces rares amis avec lesquels il avait encore plaisir à dîner, il fonçait droit sur la chaise qui lui permettrait de faire dos à l'assistance tout autant que d'échapper à un miroir, puis il se ravisait, et proposait avec civilité la chaise ou la banquette qu'il ne voulait pas. Il présentait à l'assistance la luisance énigmatique, close sur elle-même, de ce crâne qu'il prenait soin de raser chaque matin, sur lequel je remarquais parfois des coulures de sang séché qui avaient échappé à son inspection, lorsqu'il m'ouvrait sa porte, en même temps que la fraîcheur de son haleine au moment où il m'embrassait, de deux tout petits baisers sonores de chaque côté des lèvres, me faisant penser qu'il avait la délicatesse de se relaver les dents peu avant l'heure du rendez-vous. Paris l'empêchait de sortir, il s'y sentait trop connu. Quand il allait au cinéma, tous les regards convergeaient sur lui. Certaines nuits, depuis mon balcon au 203 rue du Bac, je le voyais ressortir de chez lui, en blouson de cuir noir, avec des chaînes et des anneaux de métal sur les épaulettes, empruntant le passage découvert qui relie les différents escaliers du 205 rue du Bac pour atteindre le parking souterrain d'où, avec sa voiture, qu'il conduisait maladroitement, comme un myope affolé qui embrasse le pare-brise, il traversait Paris pour se rendre dans un bar du XIIe arrondissement, *Le Keller*, où il levait des victimes. Stéphane a retrouvé dans un placard de l'appartement, que le testament olographe avait mis à l'abri d'une intrusion de la famille, un grand sac rempli de fouets, de cagoules de cuir, de laisses, de mors et de menottes. Ces ustensiles, dont il prétendit ignorer l'existence, lui auraient procuré un dégoût inattendu, comme si eux aussi étaient morts désormais, et glacés. Sur les conseils du frère de Muzil, il fit désinfecter l'appartement avant d'en prendre possession, grâce au testament, ignorant encore que la plupart des manuscrits avaient été détruits. Muzil adorait les orgies violentes dans les saunas. La crainte d'y être reconnu l'empêchait de fréquenter les saunas parisiens. Mais, quand il partait pour son séminaire annuel près de San Francisco, il s'en donnait à cœur joie dans les nombreux saunas de cette ville, aujourd'hui désaffectés à cause de l'épidémie, et transformés en supermarchés ou en parkings.

Les homosexuels de San Francisco réalisaient dans ces espaces les fantasmes les plus insensés, mettant à la place d'urinoirs de vieilles baignoires où les victimes restaient couchées des nuits entières dans l'attente des souillures, remontant dans des étages exigus des camions de routards démantibulés qu'ils utilisaient comme chambres de tortures. Muzil rentra de son séminaire de l'automne 1983 en s'arrachant les poumons, une toux sèche l'épuisait progressivement. Mais, entre deux quintes, il se délectait en évoquant ses dernières frasques dans les saunas de San Francisco. Je lui dis ce jour-là : « A cause du sida, il ne doit plus y avoir un chat dans ces endroits. — Détrompe-toi, répondit-il, il n'y a au contraire jamais eu autant de monde dans les saunas, et c'est devenu extraordinaire. Cette menace qui flotte a créé de nouvelles complicités, de nouvelles tendresses, de nouvelles solidarités. Avant on n'échangeait jamais une parole, maintenant on se parle. Chacun sait très précisément pourquoi il est là. »

12

Son assistant, dont je fis la connaissance le jour de son enterrement, où j'accompagnai Stéphane, et que je rencontrai quelques jours plus tard dans un autobus, me fit certaines révélations. On ignorait encore si Muzil avait été conscient ou inconscient de la nature de la maladie qui l'avait tué. Son assistant m'assura qu'il avait été en tout cas conscient du caractère irréversible de cette maladie. Courant 83, Muzil se rendait régulièrement aux réunions d'une association humanitaire, dans une clinique dermatologique dont le patron appartenait à cette ligue qui déléguait des médecins par le monde entier au fur et à mesure des catastrophes naturelles ou politiques. Cette clinique accueillait les premiers cas de sida à cause de ses symptômes dermatologiques, spécialement le syndrome de Kaposi qui laisse des taches rouges plutôt violacées, d'abord sous les pieds et sur les jambes, puis sur tout le corps, jusqu'à la peau du visage. Muzil toussait comme un dératé à ces réunions où il était question de la situation de la Pologne après le coup d'Etat. Malgré nos injonctions répétées, à Stéphane ou à moi, il refusait de consulter un médecin. Il finit par s'incliner devant celles du patron de la clinique dermatologique, qui s'étonnait de cette toux sèche, violente et persistante. Muzil passa une matinée à l'hôpital pour faire des examens, il me raconta à quel point le corps, il l'avait oublié, lancé dans les circuits médicaux, perd toute identité, ne reste plus qu'un paquet de chair involontaire, brinquebalé par-ci par-là, à peine un matricule, un nom passé dans la moulinette administrative, exsangue de son histoire et de sa dignité. On lui glissa par la bouche un tube qui alla explorer ses poumons. Le patron de la clinique dermatologique eut rapidement les moyens, à partir de ces examens, de déduire la nature de la maladie, mais, pour préserver le nom de son patient et partenaire, il prit les mesures nécessaires, en surveillant la circulation des fiches et des analyses qui reliaient ce nom célèbre au nom de cette nouvelle maladie, en les truquant et en les censurant, pour que le secret soit colmaté jusqu'au bout, lui laissant jusqu'à sa mort les coudées franches dans son travail, sans l'encombrement d'une rumeur à gérer. Il prit la décision, contrairement à l'usage, de ne même pas en avertir son ami, Stéphane, qu'il connaissait un peu, pour ne pas entacher leur amitié de ce spectre terrible. Mais il avisa l'assistant de Muzil, afin qu'il se dédie plus que jamais aux volontés de son maître, et le soutienne dans les ultimes projets de sa pensée. L'assistant m'apprit dans l'autobus que son entrevue avec le patron de la clinique dermatologique avait suivi de peu les résultats des examens transmis à Muzil et commentés devant lui par le patron et collègue. L'œil de Muzil, en cet instant, avait raconté le patron de la clinique dermatologique à l'assistant qui me le rapportait des mois plus tard, était devenu plus fixe et acéré que jamais ; d'un geste de la main il avait coupé court à toute discussion : « Combien de temps ? » avait-il demandé. C'était la seule question qui lui importait, pour son travail, pour finir son livre. Le patron de médecine lui avoua-t-il alors la nature de sa maladie ? J'en doute aujourd'hui. Peut-être Muzil ne le laissa-t-il pas parler ? Un an plus tôt, lors d'un de nos dîners dans sa cuisine, je l'avais aiguillé sur cette question de la vérité à propos de la maladie mortelle, dans le rapport entre le médecin et le patient. Je craignais d'être atteint d'un cancer du foie consécutif à mon hépatite mal soignée. Muzil m'avait dit : « Le médecin ne dit pas abruptement la vérité au patient, mais il lui offre les moyens et la liberté, dans un discours diffus, de l'appréhender par lui-même, lui permettant aussi de n'en rien savoir si au fond de lui il préfère cette seconde solution. » Le patron de la clinique dermatologique prescrivit à Muzil de massives doses d'antibiotiques qui, en enrayant sa toux, fixèrent un sursis incertain à l'issue fatale. Muzil reprit son travail, et son livre de plus belle, il décida même de donner sa série de conférences qu'il avait pensé ajourner. Ni à Stéphane ni à moi il n'évoqua cette entrevue avec le patron de la clinique dermatologique. Un jour il m'annonça, me sondant étrangement, qu'il avait pris la décision, mais je voyais bien dans son œil qu'il me demandait conseil, que sa décision n'était pas vraiment prise, de s'engager au bout du monde avec une équipe de cette association humanitaire qu'il soutenait, pour une mission dangereuse d'où il risquait, il me le fit comprendre, de ne jamais revenir. Il allait chercher au bout du monde cette petite porte de disparition rêvée derrière le tableau du mouroir idéal. Effrayé par ce projet et tâchant de ne pas lui montrer à quel point, je lui répliquai légèrement qu'il ferait mieux de finir son livre. Son livre infini.

13

Il avait entrepris son histoire des comportements avant que je fasse sa connaissance, début 77, puisque mon premier livre, *La mort propagande*, a dû paraître en janvier 1977, et que j'eus la chance de pénétrer dans son petit cercle d'amis à la suite de cette publication. De son histoire monumentale des comportements était déjà sorti le premier volume, au départ introduction au premier tome, mais qu'il avait tellement développée qu'elle était devenue un livre à part entière, qui avait repoussé la publication du véritable premier volume, qui devenait du coup le second, prêt à être mis sous presse au moment où le bolide de l'introduction lui avait fait cette queue de poisson, au printemps 76, à cette époque où je ne le connaissais pas, où il n'était pour moi qu'un voisin illustre et fascinant dont je n'avais lu aucun livre. A l'occasion de la sortie de l'introduction, qui avait été tant décriée parce qu'il y avançait une thèse fondamentalement opposée à celle qui régnait alors sur la censure, il avait accepté, pour la première et la dernière fois car il refusa ensuite toutes les invitations, de participer à l'émission de variétés intellectuelles « Apostrophes », que je n'avais pas vue à l'époque, mais dont Christine Ockrent, présentatrice que Muzil chérissait entre toutes, m'obligeant à faire des tours de pâtés de maisons autour de son immeuble quand j'étais invité à dîner chez lui et que j'avais un peu d'avance pour le laisser seul avec elle jusqu'à 20 h 30, diffusa un court extrait lors de son journal télévisé qu'il n'aurait manqué pour rien au monde, le soir de sa mort, en juin 1984. Christine Ockrent, qu'il appelait souvent en jubilant sa petite ou sa grande chérie, ne repiqua en fait qu'un immense et interminable éclat de rire, saisi au cours de cette émission de variétés, où l'on voyait Muzil en complet-veston et en cravate se tordre littéralement de rire à l'instant où l'on attendait de lui qu'il soit sérieux comme un pape pour statufier un des règlements de cette histoire des comportements dont il minait les bases, et cet éclat de rire me réchauffa le cœur à un moment où je le sentais glacé, quand j'allumais la télévision chez Jules et Berthe, où je m'étais réfugié le soir de sa mort, pour voir un peu comment on traiterait sa nécrologie au journal télévisé. Ce fut pour moi la dernière apparition visuelle animée de Muzil que je consentis à recevoir de lui, refusant depuis par peur d'en souffrir de me colleter avec aucun simulacre de sa présence, sinon à ceux des rêves, et cet éclat de rire que j'ai décrété arrêt sur image absolu m'enchante encore, bien que je sois un peu jaloux qu'un éclat de rire si formidable, si impétueux, si lumineux, ait pu sortir de Muzil à une époque juste antérieure à notre amitié. De même qu'il ruinait par ce nouveau travail les fondements du consensus sexuel, il avait commencé à miner les galeries de son propre labyrinthe. Il avait annoncé, au dos du premier volume de son histoire monumentale des comportements, puisque le prochain était déjà entièrement rédigé et qu'il tenait en main la documentation nécessaire pour les suivants, les titres des quatre volumes à venir. Engagé au premier tiers d'un chantier dont il avait dessiné le plan, les pylônes et les arêtes, les zones d'ombre aussi, et les passerelles de circulation, selon les règles du système qui avaient fait leurs preuves dans ses livres précédents, qui lui avaient valu sa réputation internationale, le voilà saisi d'un ennui, ou d'un doute terrible. Il arrête le chantier, raye tous ses plans, stoppe cette histoire monumentale des comportements ordonnée par avance sur le papier à musique de ses dialectiques. Il pense d'abord reporter à la fin le deuxième volume, le laisser en tout cas en attente, pour prendre un autre angle d'attaque, décaler les origines de son histoire, et inventer de nouvelles méthodes d'exploration. De déviation en déviation, axé sur des voies périphériques, des excroissances annexes de son projet initial qui deviennent à elles seules des livres en soi plus que des paragraphes, il se perd, se décourage, détruit, abandonne, rebâtit, regreffe et se laisse peu à peu gagner par la torpeur excitée d'un repli, d'un manquement persistant de publication, en butte à toutes les rumeurs, les plus jalouses, d'impuissance et de gâtisme, ou d'un aveu d'erreur ou de vacuité, engourdi de plus en plus par le rêve d'un livre infini, qui ouvrirait toutes les questions possibles, et que rien ne saurait clore, rien ne saurait arrêter sauf la mort ou l'épuisement, le livre le plus puissant et le plus fragile du monde, un trésor en progrès tenu par la main qui l'approche et le recule de l'abîme, à chaque rebond de pensée, et du feu au moindre abattement, une bible vouée à l'enfer. L'assurance de sa mort prochaine mit un terme à ce rêve. Une fois le temps compté, il entreprit de réordonner son livre, avec limpidité. Au printemps 83, il était parti pour l'Andalousie en compagnie de Stéphane. Je m'étonnai de ce qu'il ait réservé dans des hôtels de seconde ou troisième catégorie, il avait ce sens de l'économie alors qu'on retrouva chez lui à sa mort de nombreux chèques de plusieurs millions qu'il avait eu la négligence de ne pas porter à sa banque. En fait il avait surtout horreur du luxe. Mais il reprochait l'avarice de sa mère qui ne lui avait cédé que des bols ébréchés quand il lui avait demandé un geste pour la maison de campagne qu'il venait d'acheter, où il rêvait à de beaux étés laborieux en notre compagnie. La veille de son départ pour l'Andalousie, Muzil me convoqua chez lui et me dit avec solennité en désignant deux grosses chemises bourrées de papier posées côte à côte sur son bureau : « Ce sont mes manuscrits, s'il m'arrivait quoi que ce soit durant ce voyage, je te prie de venir ici et de les détruire tous les deux, il n'y a que toi à qui je peux demander ça, et je compte sur ta parole. » Je lui répondis que je serais incapable de commettre ce geste et donc que je déclinais sa demande. Muzil se montra scandalisé, et atrocement déçu par ma réaction. Il ne devait réellement achever son travail que des mois plus tard, après l'avoir une dernière fois entièrement chamboulé. Quand il s'écroula dans sa cuisine et que Stéphane le retrouva inanimé dans une mare de sang, il avait déjà remis ses deux manuscrits à son éditeur, mais retournait chaque matin à la bibliothèque du Chaussoir pour contrôler l'exactitude de ses notes en bas de page.

14

Quand je suis rentré en catastrophe du Mexique, en octobre 1983, après avoir supplié le gérant de l'agence Air France de Mexico, qui me reçut les pieds sur son bureau, regardant tomber du plafond dans une gamelle le goutte-à-goutte d'un déluge qui faisait rage à l'extérieur, dégoulinant moi-même et invoquant la pitié humaine, de me rapatrier d'urgence en France en écourtant ce maudit billet tarif vacances à date fixe et minimum de treize jours, alors que j'avais eu de violentes fièvres jusque dans l'avion qui me rapprochait secourablement de mon pays natal, parmi des touristes déchaînés affublés de sombreros qui engloutissaient en piaillant leurs dernières rasades de tequila, j'appelai Jules de l'aéroport, et lui m'apprit qu'il avait passé tout ce temps où j'étais resté au Mexique hospitalisé, accablé lui-même par de fortes fièvres, le corps couvert de ganglions, et l'on n'avait cessé de faire sur lui, à l'hôpital de la Cité universitaire, des examens qui n'avaient rien donné, jusqu'à ce qu'on le renvoie chez lui. En regardant le paysage grisâtre de la banlieue parisienne défiler derrière la vitre du taxi, que je considérais comme une ambulance, et parce que Jules venait de me décrire des symptômes qu'on commençait d'associer à la fameuse maladie, je me dis que nous avions tous les deux le sida. Cela modifiait tout en un instant, tout basculait et le paysage avec autour de cette certitude, et cela à la fois me paralysait et me donnait des ailes, réduisait mes forces tout en les décuplant, j'avais peur et j'étais grisé, calme en même temps qu'affolé, j'avais peut-être enfin atteint mon but. Bien sûr, les autres s'employèrent à me dissuader de ma conviction. D'abord Gustave, à qui je me confiai le soir même au téléphone, et qui de Munich me dit avec scepticisme de ne pas spéculer sur une simple panique. Puis Muzil, chez qui j'allai dîner le lendemain soir, et qui, lui, était dans un stade de la maladie assez avancé puisqu'il lui restait moins d'un an à vivre, me dit : « Mon pauvre lapin, qu'est-ce que tu vas encore imaginer ? Si les virus qui circulent par le monde entier depuis la mode des charters étaient tous mortels, tu crois bien qu'il n'y aurait plus grand monde sur cette planète. » C'était l'époque où les bruits les plus fantaisistes, mais qui alors semblaient crédibles tellement on en savait peu sur la nature et le fonctionnement de ce qui n'avait pas encore été cerné comme virus, un lento ou rétrovirus voisin de celui qui se tapit chez les chevaux, se propageaient sur le sida : qu'on l'attrapait en sniffant du nitrite d'amyle, soudain retiré de la consommation, ou qu'il s'agissait de l'instrument d'une guerre biologique lancée tantôt par Brejnev tantôt par Reagan. A la toute fin 83, parce que Muzil retoussait de plus belle, ayant cessé de prendre ces antibiotiques dont les doses, lui avait assuré un pharmacien de quartier, étaient capables justement de faire crever un cheval, je lui dis : « En fait tu espères avoir le sida. » Il me lança un regard noir et sans appel.

15

Peu après mon retour du Mexique, un abcès monstrueux s'ouvrit au fond de ma gorge, m'empêchant de déglutir et bientôt d'avaler aucune nourriture. J'avais quitté le docteur Lévy, à qui je reprochai de ne pas avoir soigné mon hépatite et de prendre à la légère chacun de mes maux, spécialement ce point tenace à droite qui me faisait redouter un cancer du foie. Le docteur Lévy mourut bientôt d'un cancer des poumons. Je l'avais remplacé, au Centre d'exploration fonctionnelle que m'avait recommandé Eugénie, par un autre généraliste, le docteur Nocourt, frère d'un collègue au journal. Ne lui laissant aucun répit, le consultant au moins chaque mois à propos de ce point à droite, je l'avais harcelé jusqu'à ce qu'il me délivre les ordonnances pour tous les examens possibles et imaginables, bien entendu le bilan sanguin par lequel on vérifiait le taux de mes transaminases, mais aussi une échographie au cours de laquelle, guettant sur l'écran en même temps que lui, tandis qu'il palpait mon abdomen graissé du bout de son stylet, les nuées de mes viscères, j'invectivai le praticien dont l'œil me semblait trop froid, trop égal durant son inspection pour ne pas cacher quelque dissimulation, j'accusai son œil de mentir, jusqu'à

ce que mes soupçons le fassent éclater de rire, me disant
qu'il était rare de mourir d'un cancer du foie à l'âge de
vingt-cinq ans, enfin une urographie qui fut une épreuve
terrible, humilié, couché nu plus d'une heure, alors qu'on ne
m'avait pas prévenu de la durée de cet examen, sur une
table de métal glacée, sous une verrière où pouvaient me
voir des ouvriers qui travaillaient sur un toit, impuissant à
appeler quiconque car on m'avait oublié, une aiguille
épaisse plantée dans la veine du bras diffusant dans mon
sang un liquide violacé qui le chauffait à mort, jusqu'à ce
que j'entendisse derrière le paravent la praticienne revenir
et dire à un collègue qu'elle en avait profité pour descendre
s'acheter un bifteck et le questionner sur ses récentes
vacances dans l'île de la Réunion, il se trouve que cette
investigation avait enfin donné quelque chose, ce qui
m'avait soulagé en même temps que déçu, car le docteur
Nocourt m'annonça qu'il s'agissait d'un phénomène extrêmement rare, mais tout à fait bénin, qu'il n'avait jamais
rencontré en trente ans de carrière, une malformation
rénale, sans doute congénitale, une sorte de cuvette dans
laquelle des cristaux pouvaient s'accumuler en provoquant
ce point à droite, dont l'urologue pensa me débarrasser par
de massives absorptions d'eau gazeuse et de citron. Mais,
avant même que je m'adonne à une frénétique consommation de citrons, le point à droite, puisque j'en connaissais
désormais l'origine, cessa de se faire sentir, et je me
retrouvai, pour un très court laps de temps, comme un idiot,
sans aucune douleur.

16

Entre-temps Eugénie m'avait conseillé de consulter le docteur Lérisson, un homéopathe. Marine et Eugénie étaient folles du docteur Lérisson. Eugénie passait des nuits entières dans sa salle d'attente, avec son mari et ses fils, à attendre le rendez-vous providentiel, parmi des femmes du monde et des va-nu-pieds car le docteur Lérisson mettait un point d'honneur à faire payer mille francs la consultation aux comtesses et à accorder un temps égal à des vagabonds pour pas un kopeck, Eugénie fixant jusqu'à l'hallucination la porte du cabinet où parfois, vers trois heures du matin, d'un geste las le docteur Lérisson engouffrait toute sa petite famille en parfaite santé, qui ressortait de là avec des ordonnances pour dix gélules jaunes de la taille d'un Nuts à déglutir chacune avant les repas, plus cinq gélules rouges de taille intermédiaire, sept comprimés bleus et une foule de granulés à laisser fondre sous la langue. Toute cette médicamentation faillit faire crever le fils d'Eugénie quand celui-ci eut une banale appendicite, le docteur Lérisson est contre les interventions dures, les ablations ou les traitements chimiques, il fait confiance à l'équilibre de la nature et aux plantes compressées, du coup le fils d'Eugénie se retrouva avec une péritonite compliquée de diverses surinfections, balisées par trois réouvertures qui dessinèrent une jolie cicatrice du pubis jusqu'au cou. Marine me disait avec extase que le docteur Lérisson était un saint, sacrifiant toute vie personnelle, et même sa pauvre épouse qu'elle était bien contente de voir passer à l'as, pour l'exercice de son art.

Quand Marine allait le consulter entre trois et quatre fois par semaine, elle ne passait pas par la salle d'attente : une assistante, dès qu'elle reconnaissait ses lunettes noires, la faisait pénétrer par une porte dérobée, dans un boudoir attenant au cabinet du docteur Lérisson, où celui-ci réservait ses expérimentations les plus capiteuses à ses clientes les plus célèbres, les enfermant nues dans des caissons de métal après avoir planté sur tout leur corps des aiguilles gorgées de concentrés d'herbes, de tomate, de bauxite, d'ananas, de cannelle, de patchouli, de navet, d'argile et de carotte, d'où elles ressortaient flageolantes, écarlates et quasiment ivres. Le docteur Lérisson, au complet, n'acceptait plus aucun gogo. Grâce aux recommandations exceptionnelles d'Eugénie et Marine, j'obtins enfin un rendez-vous, après des pourparlers avec une secrétaire occulte, pour le trimestre suivant. Je poireautai pendant quatre heures dans la salle d'attente, encerclé par des physionomies accablantes, quand l'assistant en blouse blanche le plus banal du monde prononça mon nom en ouvrant la porte, je lui dis : « Non, moi j'ai rendez-vous avec le docteur Lérisson : — Entrez, me dit-il. — Mais non, lui dis-je en flairant une supercherie, c'est le docteur Lérisson en personne que je veux voir. — Mais c'est moi le docteur Lérisson, entrez ! » me dit-il en claquant sa porte derrière moi avec agacement. A cause des faiblesses conjointes d'Eugénie et Marine, j'avais imaginé un Don Juan. Au premier coup d'œil le docteur Lérisson trouva mon truc, il me pinça la lèvre en fixant mes paupières et me dit : « Vous êtes sujet aux vertiges, n'est-ce pas ? » Après ma réponse qui allait de soi, il ajouta . « Vous êtes un des êtres les plus incroyablement spasmophile que j'aie jamais rencontré, peut-être même davantage que votre amie Marine qui est pourtant une nature en la question. » Le docteur Lérisson m'expliqua que la spasmophilie n'était pas vraiment une maladie, ni organique ni mentale d'ailleurs, mais une ressource formidable, dynamisée par une carence de calcium, propre à torturer le corps. La spasmophilie n'était donc pas un mal psychosomatique, mais la détermination de l'objet et du lieu de la souffrance qu'elle était capable de produire relevait quant à elle d'une décision semi-volontaire ou plus souvent inconsciente.

17

Puisque le corps se retrouvait frustré, par cette annonce de la malformation rénale bénigne puis cette théorie de la spasmophilie, dépossédé momentanément de ses capacités de souffrance, sans doute avide il se remit à forer en lui, au plus profond, aveuglément, à tâtons. Je ne faisais pas de crises d'épilepsie, mais j'étais capable à chaque instant de me tordre littéralement de douleur. Je n'ai jamais si peu souffert que depuis que je sais que j'ai le sida, je suis très attentif aux manifestations de la progression du virus, il me semble connaître la cartographie de ses colonisations, de ses assauts et de ses replis, je crois savoir là où il couve et là où il attaque, sentir les zones encore intouchées, mais cette lutte à l'intérieur de moi, qui est celle-ci organiquement bien réelle, des analyses scientifiques en témoignent, n'est pour l'instant rien, sois patient mon bonhomme, en regard des maux certainement fictifs qui me torpillaient. Emu par leurs déclarations, Muzil m'envoya consulter le vieux docteur Aron, qui avait pratiquement renoncé à sa charge mais continuait, deux ou trois heures par jour, à hanter ce cabinet qu'il tenait de son père, et où rien ne semblait avoir été déplacé depuis près d'un siècle, minuscule trotte-menu transparent entre ses énormes machines radiologiques antédiluviennes. Le docteur Aron recueillit le récit de mes souffrances, puis il m'engagea à passer dans l'autre partie de son cabinet, où s'élevaient ces énormes blocs articulés avec leurs bras, leurs manettes et leurs hublots qui le faisaient ressembler à la cabine d'un sous-marin, et à m'y déshabiller. Le tout petit homme blanchâtre et translucide s'accroupit à mes pieds et se mit à faire ricocher sur mes orteils, mes chevilles et mes genoux, comme le marteau léger d'un cymbalum, le maillet qui les parcourut de frissonnements. Puis il décocha au fond de mon iris le faisceau lumineux d'une lunette sphérique qu'il avait sanglée sur son front, et il me dit, avec un très long soupir : « En fait vous êtes un personnage comique. » Je me rassis à son bureau, et je lui dis cette phrase, oui, je m'en souviens très bien, je lui dis très exactement cette phrase, en 1981, peu avant que Bill évoque pour la première fois l'existence de ce phénomène qui nous liait déjà tous, Muzil, Marine et tant d'autres sans que nous puissions le savoir : « Je baiserai les mains de celui qui m'apprendra ma condamnation. » Le docteur Aron consulta une encyclopédie, en lut silencieusement des articles, et il me dit : « J'ai trouvé la maladie dont vous êtes atteint, c'est une maladie assez rare, mais que cela ne vous inquiète pas trop, c'est une maladie qui fait certes beaucoup souffrir, mais qui passe généralement avec l'âge, c'est une maladie de la jeunesse qui devrait disparaître chez vous vers la trentaine, son nom le plus compréhensible est la dysmorphophobie, c'est-à-dire que vous avez en haine toute forme de difformité. » Il rédigea une ordonnance, je lui demandai à la voir, il me prescrivait des antidépresseurs : ne craignait-il pas que cela me fasse plus de mal que de bien ? Téo, en me racontant le cas d'un metteur en scène qui venait de se brûler la cervelle dans la pièce voisine où dormait son décorateur, tenait les antidépresseurs pour responsables disant que c'étaient eux et eux seuls généralement qui donnaient la force euphorique, en résistant à l'hébétude, de passer aux actes. En sortant du cabinet du docteur Aron, je déchirai l'ordonnance, et allai raconter la séance à Muzil. Mon récit le mit en colère : « C'est quand même incroyable ces généralistes de quartier, dit-il, ils en ont tellement assez des crachats et des diarrhées de leurs patients qu'ils se tournent vers la psychanalyse, et donnent les diagnostics les plus farfelus ! » Peu avant de s'écrouler, inconscient, dans sa cuisine, le mois qui a précédé sa mort, pressé par Stéphane et par moi à consulter un médecin au sujet de cette toux qui recommençait à arracher son souffle, Muzil se résigna à rendre visite à un vieux généraliste de son quartier qui, après l'avoir examiné, lui assura gaiement qu'il était en parfaite santé.

18

Aujourd'hui, 4 janvier 89, je me dis qu'il ne me reste exactement que sept jours pour retracer l'histoire de ma maladie, et bien sûr c'est certainement un délai impossible à tenir, et intenable pour ma quiétude morale, car je dois appeler le 11 janvier dans l'après-midi le docteur Chandi pour qu'il mette au fait par téléphone des analyses auxquelles j'ai dû me soumettre le 22 décembre, pour la première fois à l'hôpital Claude-Bernard, entrant par là dans une nouvelle phase de la maladie, examens qui ont été atroces car j'ai dû m'y rendre à jeun et de bonne heure, ne dormant pratiquement pas de la nuit par peur de manquer ce rendez-vous pris un mois plus tôt pour moi par le docteur Chandi qui avait épelé au téléphone mon nom, mon adresse et ma date de naissance, me propulsant par là publiquement dans une nouvelle phase avouée de la maladie, sinon pour rêver cette nuit qui précéda ces atroces analyses où l'on me ponctionna une quantité abominable de sang, que j'avais été empêché pour diverses raisons de me rendre à ce rendez-vous décisif pour ma survie, devant de surcroît traverser de bout en bout Paris paralysé par la grève semi-générale, et écrivant tout cela en réalité le 3 janvier au soir par peur de m'écrouler dans la nuit, fonçant férocement jusqu'à mon but et jusqu'à son inachèvement, me ressouvenant avec terreur de cette matinée où j'ai dû sortir à jeun dans les rues glacées, où régnait à cause de la grève un affolement anormal, pour me faire soutirer une quantité astronomique de sang, voler mon sang dans cet institut de santé publique aux fins de je ne sais quelles expériences, et lui ôter en même temps de ses dernières forces valides, sous le prétexte de contrôler le nombre de T4 que le virus avait massacré en un mois dans mon sang, de capturer une dose supplémentaire de mes réserves vitales pour les envoyer aux chercheurs, les transformer en matière désactivée d'un vaccin qui sauvera les autres après ma mort, d'une gammaglobuline, ou pour en infecter un singe de laboratoire, mais auparavant j'avais dû m'écrabouiller dans la masse puante et résignée qui bondait un compartiment de métro déréglé par la grève, en ressortir suffoqué et remonter dans la rue pour attendre devant la cabine téléphonique que la jeune fille étrangère avec ses nombreux bagages ait compris, d'après mes gestes derrière la vitre, dans quel sens on devait glisser la carte, et qu'il fallait ensuite rabattre le volet sur elle, elle me laissa gentiment la place et attendit à son tour dans le froid que j'en aie fini avec la boucle désespérante du disque des Taxis bleus, en même temps qu'un ouvrier de la Ville de Paris, ayant arrêté sa fourgonnette devant la cabine, l'avait prise d'assaut avec un système d'aspersion qui avait tout obscurci et bleuté à l'intérieur, tandis que je réécoutais pour la centième fois le disque des Taxis bleus, écœuré par le café noir non sucré que le docteur Chandi m'avait autorisé à ingérer à l'exclusion de toute autre chose, alors que l'infirmière, quand j'atteignis le seul îlot encore vivant à

49

l'intérieur de l'hôpital Claude-Bernard qu'on venait d'évacuer et que je traversais désaffecté dans la brume comme un hôpital fantôme du bout du monde, me souvenant de ma visite de Dachau, le dernier îlot animé qui était celui du sida avec ses silhouettes blanches derrière les vitres dépolies, me demanda en entassant les tubes vides dans la cuvette, un, puis deux, puis trois, puis un grand, puis deux petits, et enfin ça en faisait une bonne dizaine qui allaient tous se remplir dans un instant de mon sang chaud et noir, et qui se chevauchaient dans la cuvette en roulant sur eux-mêmes et en cherchant leur place comme ces voyageurs affolés dans les rames du métro désynchronisé par la grève, si j'avais pris un bon petit déjeuner, que j'aurais pu en tout cas, que j'aurais dû, contrairement à ce que m'avait assuré le docteur Chandi puisque j'avais pris la peine de le lui demander, et que je devrais la prochaine fois, me dit l'infirmière en me demandant quel bras je désirais qu'on saigne, comme si pour l'heure j'étais en mesure d'assumer une prochaine fois, horrifié, dans un état d'horreur proche du fou rire, mais pour l'instant l'ouvrier de la Ville de Paris avait raclé à l'extérieur toute la buée de la cabine téléphonique et attendait en croisant les bras que j'en aie fini avec le disque des Taxis bleus pour attaquer l'intérieur, prêt à repousser la jeune fille étrangère dont c'était le tour, mais de lassitude il disparut avec sa fourgonnette au moment même où la voix des Taxis bleus me dit en raccrochant aussitôt qu'il n'y avait pas de voiture disponible, au bout de dix minutes d'attente, pour ce numéro de la rue Raymond-Losserand que j'avais relevé à la hâte au moment où j'avais enfin eu la ligne derrière la vitre de la cabine téléphonique, où je laissai pénétrer la jeune fille étrangère, me réengouffrant dans le métro, cette fois prêt à tout, avec un écœurement et une faiblesse proches de la puissance, prêt au pire avec même une certaine gaieté, à me faire casser la gueule gratuitement, comme par hasard ce matin-là, ou jeter par un fou sous la rame où j'allai pour la seconde fois m'écraser, en retenant mon souffle et en levant la tête, respirant uniquement par le nez, terrorisé à l'idée qu'en plus de tout je risquais d'attraper cette grippe chinoise qui avait déjà cloué au lit, écrivaient les journaux, deux millions et demi de Français. Le compartiment sur la ligne Mairie d'Issy-Porte de la Chapelle, où le docteur Chandi m'avait conseillé de descendre, au choix avec Porte de la Villette, avant de marcher dix bonnes minutes le long d'une bretelle du périphérique, était presque vide celui-là. Un homme avec une casquette à oreillettes de fourrure, au sortir de la station Porte de la Chapelle, m'indiqua mon chemin avec des gestes larges qui désignaient des kilomètres, et, quand je lui dis le nom Claude Bernard, car il me questionnait plus précisément sur le numéro de l'avenue de la Porte d'Aubervilliers où je devais me rendre, il me sembla qu'il comprenait tout de ma situation et du désastre où je me trouvais, car il fut tout à coup avec moi d'une gentillesse incomparable qui, tout en restant discrète et légère, presque humoristique, n'en sucra pas moins ce café noir qui continuait de m'écœurer, il avait lu dans les journaux de l'avant-veille que l'hôpital Claude-Bernard, datant des années 20 et devenu insalubre, avait été déménagé dans des locaux neufs à l'exception du pavillon Chantemesse, où m'avait dit de me rendre le docteur Chandi en omettant de me prévenir de la conjoncture, bâtiment exclusivement affecté aux malades du sida et en fonctionnement à l'intérieur de l'hôpital mort, jusqu'à nouvel ordre. Au téléphone le docteur Chandi, à qui je réclamai des indications sur le chemin à suivre, spécialement en ces jours de grève, pour arriver à Claude-Bernard, car, comme par un fait exprès, j'avais égaré le papier sur lequel je les avais notées en détail un mois plus tôt, me dit seulement : « Ah oui, votre bilan sanguin, c'est déjà pour demain ? Mon Dieu, comme le temps passe vite ! » Je me demandai par la suite s'il avait dit cette phrase intentionnellement pour me rappeler que mon temps était désormais compté, et que je ne devais pas le gaspiller à écrire sous ou sur une autre plume que la mienne, me renvoyant à cette autre phrase presque rituelle qu'il avait prononcée un mois plus tôt, quand, constatant dans mes dernières analyses l'avancée précipitée du virus dans mon sang, et me priant de procéder par une nouvelle prise de sang à la recherche de l'antigène P24, qui est le signe de la présence offensive et non plus latente du virus dans le corps, cela afin de mettre en branle la démarche administrative permettant d'obtenir de l'AZT, qui est à ce jour le seul traitement du sida en phase définitive : « Maintenant, si l'on ne fait rien, ce n'est plus une question d'années, mais de mois. » J'avais redemandé mon chemin à un pompiste, car il n'y avait personne sur cette avenue sans boutiques rasée par le flot des voitures pour me renseigner, et je vis dans le regard du pompiste qu'il trouvait un point commun, il n'arrivait pas à savoir lequel, aux visages et aux regards, au comportement fébrile, faussement assuré et détendu, de ces hommes de vingt à quarante ans qui lui demandaient le chemin de l'hôpital désaffecté, à une heure où l'on ne fait pas de visites. Je traversai une seconde bretelle du périphérique pour parvenir au portail de l'hôpital Claude-Bernard, où il n'y avait plus ni gardien ni service d'admission mais une pancarte indiquant que les malades convoqués au pavillon Chantemesse, celui que m'avait épelé le docteur Chandi, devaient directement s'adresser aux infirmières de ce bâtiment qu'ils trouveraient dans l'enceinte en suivant le parcours fléché. Tout était désert, pillé, froid et humide, comme saccagé, avec des stores bleus effilochés qui battaient au vent, je marchais le long des pavillons barricadés couleur de brique, qui annonçaient sur leurs frontons : Maladies infectieuses, Epidémiologie africaine, jusqu'au pavillon des maladies mortelles, l'unique cellule éclairée qui continuait de bourdonner derrière ses verres dépolis, et où l'on extrayait sans relâche le sang contaminé. Je ne rencontrai personne sur mon chemin si ce n'est un Noir qui ne retrouvait plus la sortie, et me supplia de lui signaler une cabine téléphonique. Le docteur Chandi m'avait prévenu que les infirmières de ce service étaient très gentilles. Elles le sont sans doute avec lui lorsqu'il passe faire sa consultation, le mercredi matin. Je m'avançai dans un couloir en carrelage, transformé en salle d'attente pour de pauvres types comme moi qui se dévisageaient en pensant que la maladie se tapissait tout comme chez eux derrière ces visages qui avaient l'air sains, et qui étaient parfois pleins de jeunesse et de beauté, alors qu'eux-mêmes voyaient une tête de mort lorsqu'ils se regardaient dans la glace, ou inversement avaient l'impression de détecter immédiatement la maladie dans ces regards décharnés alors qu'eux-mêmes s'assuraient à chaque instant dans un miroir qu'ils étaient encore en bonne santé malgré leurs mauvaises analyses, et, en m'avançant dans ce couloir, derrière un de ces verres dépolis qui s'arrêtaient aux épaules, je reconnus de trois quarts la face d'un homme qui m'était familière, à qui j'avais eu affaire, et je m'en détournai aussitôt, horrifié à l'idée de devoir échanger ce regard de reconnaissance et d'égalité forcée, moi qui n'ai que du mépris pour cet homme. Trois infirmières se tassaient, comme empilées pour un jeu de cirque les unes au-dessus des autres, dans un placard à balais en compulsant frénétiquement les pages d'un classeur et en criant des noms, c'est alors qu'elles ont crié le mien, mais il est un stade de la maladie où l'on n'a que faire du secret, où il devient même odieux et encombrant, et l'une d'elles parla de son arbre de Noël, il ne faut pas se laisser gagner par l'horreur de cette maladie sinon elle envahit tout, elle n'est jamais qu'une sorte de cancer, un cancer devenu désormais presque totalement transparent par l'avancement des recherches. Je m'étais réfugié dans un des boxes de ponction du sang, j'avais refermé avec précipitation la porte sur moi et je m'étais tassé au fond du siège le plus bas de crainte que l'homme que j'avais reconnu puisse me reconnaître à son tour, mais à chaque instant une infirmière rouvrait la porte pour me demander mon nom ou m'avertir que j'avais pris place dans le mauvais box. L'infirmière qui devait procéder à ma prise de sang me dévisagea avec un regard plein de douceur, qui voulait dire : « tu mourras avant moi ». Cette pensée l'aidait à rester clémente, et à enfoncer droit et sans gant l'aiguille dans la veine après avoir recompté le nombre de ses tubes en les faisant rouler du bout des doigts dans la cuvette. Elle dit : « C'est pour le bilan pré-AZT ! Depuis quand vous êtes en observation ? » Je réfléchis avant de répondre : « Un an. » Au neuvième tube qu'elle encastra dans le système à piston qui me trayait le sang sous vide, elle me dit : « Si vous voulez, je vais vous apporter un petit déjeuner, du Nescafé et des tartines beurrées avec de la confiture, ça ira ? » Je me relevai aussitôt du siège, et elle m'y rassit avec frayeur : « Non, restez encore un peu assis, vous êtes trop pâle, vous êtes sûr que vous ne voulez pas un bon petit déjeuner ? » J'avais hâte de sortir de là, je ne tenais sans doute pas sur mes jambes mais j'avais envie de courir, de courir comme jamais, à l'abattoir chevalin la bête qu'on vient de saigner au cou, sanglée sous les flancs, continue de galoper, dans le vide. Les artistes de l'empilement dans leur placard à balais me donnèrent d'office un rendez-vous pour le 11 au matin, avec le docteur Chandi. En ressortant dans le froid, je pensai qu'il ne manquerait plus que je me perde comme le Noir dans cet hôpital fantôme, l'idée me faisait rire, m'égarer ou tomber dans les pommes, dans cet unique hôpital au monde, sans doute, où il se pourrait que j'attende des heures que quelqu'un passe par là pour me relever. Malgré tous mes efforts pour ne pas me perdre en suivant le parcours fléché, je m'aperçus bientôt que j'arrivais devant une sortie condamnée, il me fallait refaire tout le trajet en sens inverse, et me mettre en quête d'une autre sortie. Un motard fonça avec un casque qui rendait son visage inidentifiable comme celui d'un escrimeur. Je repassai devant le pavillon des maladies mortelles, puis devant le pavillon d'épidémiologie africaine, puis devant celui des maladies infectieuses, et il n'y avait plus personne pour me demander son chemin. J'avais toujours cette terrible envie de rire, et de parler, d'appeler au plus vite ceux que j'aime pour leur raconter tout ça, et l'évacuer. Je devais déjeuner avec mon éditeur, et discuter l'à-valoir de mon nouveau contrat qui me permettrait de faire le tour du monde dans un poumon d'acier ou de me brûler la cervelle avec une balle en or. Dans l'après-midi je rappelai le docteur Chandi à son cabinet pour lui dire que l'expérience du matin m'avait très sérieusement éprouvé. Il dit : « J'aurais dû vous prévenir, tout ce que vous dites est vrai, mais moi je ne vois plus rien, je passe là une matinée par semaine, et il faut bien que j'aie la pêche pour que ça continue de rouler. » Je lui dis que je me doutais que s'il m'avait envoyé là, c'était parce que c'était inévitable, mais je lui demandai si dorénavant, dans la mesure du possible, nous pourrions faire l'économie de ces visites dans cet hôpital, et continuer de traiter la chose entre nous. Inquiété par la menace que j'avais laissé sourdre lors de notre dernière entrevue, à savoir que je choisirais entre le suicide et l'écriture d'un nouveau livre, le docteur Chandi me dit qu'il ferait tout son possible pour ça, mais que la délivrance de l'AZT ne pouvait passer que par un comité de surveillance. Je rapportai cette conversation le soir même à Bill, après avoir déjeuné avec mon éditeur et passé l'après-midi à l'hôpital avec ma grand-tante, et Bill me dit : « Ils doivent avoir peur que tu revendes ton AZT, à des Africains par exemple. » En Afrique, à cause de la cherté du médicament, on préfère laisser crever les malades et consacrer l'argent à la recherche. C'est dans l'après-midi du 22 décembre que je décidai, avec le docteur Chandi, de ne pas me rendre à ce rendez-vous du 11 janvier, qu'il honorerait à ma place, en tenant un rôle au même moment dans les deux camps, pour obtenir s'il le fallait, ou me faire croire que ce n'était qu'ainsi qu'il l'obtiendrait, par ce simulacre de ma présence, en bloquant le temps imparti à notre rendez-vous pour abuser le comité de surveillance, le médicament escompté. Je dois lui téléphoner dans l'après-midi du

11 janvier pour connaître mes résultats et c'est pour cela que je dis qu'aujourd'hui, le 4 janvier, il ne me reste plus que sept jours pour retracer l'histoire de ma maladie, car ce que m'apprendra le docteur Chandi dans l'après-midi du 11 janvier, dans un sens comme dans l'autre, bien que ce sens ne puisse qu'être néfaste comme il m'y a préparé, risque de menacer ce livre, de le pulvériser à la racine, et de remettre mon compteur à zéro, d'effacer les cinquante-sept feuillets déjà écrits avant de faire rouler mon barillet.

19

80 aura été l'année de l'hépatite que Jules m'a refilée d'un Anglais qui s'appelait Bobo, et que Berthe a évitée de justesse par une injection de gammaglobuline. 81 l'année du voyage de Jules en Amérique, à Baltimore où il devint l'amant de Ben et à San Francisco de Josef, peu après que Bill m'eut parlé pour la première fois de l'existence de la maladie, à moins donc qu'il m'en ait parlé fin 80. En décembre 81 à Vienne, Jules baise sous mes yeux le soir de mon anniversaire un petit masseur blond et frisé qu'il a chopé dans un sauna, Arthur, qui a des taches et des croûtes sur tout le corps, à propos duquel j'écris le lendemain dans mon journal, dans une semi-inconscience car à cette époque on n'accorde qu'une foi relative au fléau : « En même temps nous prenions la maladie sur le corps de l'autre. Nous eussions pris la lèpre si nous l'avions pu. » 82 a été l'année de l'annonce par Jules à Amsterdam de la procréation d'un premier enfant qui devait s'appeler Arthur et qui a fini dans la cuvette des chiottes, annonce qui m'a traumatisé au point que je priai Jules d'élever dans mon corps en échange une force négative, « un germe noir » lui ai-je dit ce soir-là à travers mes larmes dans ce restaurant d'Amsterdam éclairé

aux bougies, ce à quoi il n'a donné aucune suite apparente, car moi je rêvais de coups, d'asservissement et de dressage, je voulais devenir son esclave et c'est lui qui est devenu le mien de façon intermittente. En décembre 82, à Budapest où il est venu se recueillir sur la tombe de Bartók, je me fais juter dans le cul par un veau d'amerloque originaire de Kalamazoo, Tom, qui m'appelle son bébé. 83 a été l'année du Mexique, de l'abcès dans la gorge et des ganglions de Jules. 84 l'année des trahisons de Marine et de mon éditeur, de la mort de Muzil et des vœux déposés au Japon dans le Temple de la Mousse. Je ne situe rien en 85 de relatif à notre histoire. 86 a été l'année de la mort du curé. 87 l'année de mon zona. 88 l'année de la révélation sans recours de ma maladie, suivie trois mois plus tard de ce hasard qui a su me faire croire à un salut. Dans cette chronologie qui cerne et balise les augures de la maladie en couvrant huit années, alors qu'on sait maintenant que son temps d'incubation se situe entre quatre ans et demi et huit ans selon Stéphane, les accidents physiologiques ne sont pas moins décisifs que les rencontres sexuelles, ni les prémonitions que les vœux qui tentent de les effacer. C'est cette chronologie-là qui devient mon schéma, sauf quand je découvre que la progression naît du désordre.

20

Quand, en octobre 83, à mon retour du Mexique, cet abcès s'ouvre au fond de ma gorge, je ne sais plus à quel médecin m'adresser, le docteur Nocourt prétend qu'il ne fait pas de visite à domicile, le docteur Lévy est mort, et il n'est plus question de faire appel ni au vieux docteur Aron depuis l'affaire de la dysmorphophobie ni au docteur Lérisson pour qu'il m'étouffe sous une montagne de gélules. Je me suis résolu à faire venir un jeune remplaçant du docteur Nocourt, lequel m'a prescrit des antibiotiques qui, depuis trois ou quatre jours que je les prends, n'ont eu aucun effet, l'abcès continue de gagner du terrain, je ne peux déglutir sans avoir atrocement mal, je ne mange pratiquement plus rien, sauf les aliments mous que m'apporte chaque jour Gustave de passage à Paris. Jules n'est pas disponible : remis de ses fièvres, il a accepté un travail très accaparant sur une production théâtrale. Avec cette plaie blanche à vif qui me ronge la gorge, je suis hanté par le baiser, sur la piste de danse du *Bombay*, à Mexico, de la vieille pute, sosie parfait de cette actrice italienne qui s'était amourachée de moi et était née la même année que ma mère, qui m'avait soudain fourré sa langue au fond de la gorge comme une couleuvre folle, se collant à moi sur ce plancher lumineux du *Bombay* où le producteur américain m'avait entraîné pour collecter un cheptel de putes qui figureraient dans le film adapté d'*Au-dessous du volcan,* un des romans préférés de Muzil, qui m'avait prêté son exemplaire, jaune et racorni, avant mon départ. Les putes, des plus jeunes aux plus âgées, défilaient à la table de leur patron, Mala Facia, pour me voir de près et me toucher et m'attirer l'une après l'autre sur la piste de danse, parce que j'étais blond. Elles se serraient contre moi en riant, ou bien langoureusement à la façon de cette pute qui sentait fort le fard, qui me semblait, comme une hallucination, la réincarnation de l'actrice italienne qui m'avait aimé et tendu ses lèvres, me chuchotant que pour moi elles le feraient à l'œil dans un des boxes à l'étage, parce que j'étais blond. Le gouvernement venait de fermer les bordels à l'ancienne, avec leur patio où défilaient les chairs, et leur couloir sombre bordé de cellules, éclairé, dans la niche du fond, par la Vierge lumineuse de la miséricorde. Ces établissements barricadés, surveillés par la police, avaient été remplacés en catastrophe par de grands dancings halls à l'américaine. J'avais eu le malheur de me rendre quelques jours plus tôt dans une boîte homosexuelle indiquée par l'ami mexicain de Jules, et de même les garçons avaient fait la queue devant moi pour me dévisager et, les plus audacieux, me palper comme un porte-bonheur. La vieille pute avait franchi le pas que j'avais refusé à l'actrice italienne, elle avait sans prévenir fourré sa langue au fond de ma gorge, et, des milliers de kilomètres plus loin, son baiser revenait à chaque sensation de douleur que produisait mon abcès pour le creuser plus profondément, comme la pointe d'un fer chauffé à blanc. La vieille pute avait réalisé la terreur que son baiser avait suscitée, elle s'était excusée, elle était triste. De retour dans la chambre de mon hôtel rue Edgar-Allan-Poe, je m'étais savonné la langue en me regardant dans le miroir, et j'avais pris une photo de cette drôle de tête dévastée par l'ivresse et le dégoût. Un dimanche après-midi où la douleur me semblait intenable, me faisant pleurer de découragement devant Gustave impuissant, ne pouvant joindre aucun de mes médecins, je me résignai à appeler à son domicile le docteur Nacier qui était alors un camarade et que jusque-là il n'avait jamais été question de prendre au sérieux en tant que médecin. Il me dit de passer immédiatement le voir, examina ma gorge, souleva l'éventualité d'un chancre syphilitique, et dépêcha chez moi le lendemain matin une infirmière qui me fit une prise de sang pour le dépistage, et un badigeon au fond de la gorge pour déceler précisément le microbe ou la bactérie et lui administrer un antibiotique spécifique. L'efficacité et la gentillesse du docteur Nacier, qui vint rapidement à bout de ma douleur, ayant pris soin contrairement à l'autre médecin de me prescrire des analgésiques, firent que je décidai de le prendre dorénavant pour médecin, et, comme son cabinet n'était pas loin de chez moi, je m'y retrouvai deux ou trois fois par semaine, à l'article de la mort, jusqu'à ce que l'état de pâleur et d'épuisement du docteur Nacier harcelé par mes incessantes visites me fasse reprendre sur-le-champ du poil de la bête. C'est moi, alors, qui remontais le moral du docteur Nacier, et je sortais ragaillardi de ces consultations en allant m'empiffrer d'éclairs au chocolat et de chaussons aux pommes dans la pâtisserie voisine de son cabinet. Le docteur Nacier me fit rapidement l'aveu qu'il avait fait le test du sida, qui s'était révélé positif, et qu'il avait immédiatement contracté une assurance professionnelle qui pourrait un jour mettre sa maladie, l'état d'ignorance dans lequel on était alors vis-à-vis du virus permettait de telles spéculations, sur le compte d'une contamination par un patient, afin de toucher d'importants dédommagements qui lui permettraient de couler de paisibles derniers jours à Palma de Majorque.

21

J'avais été ébloui, au Teatro colonial, place Garibaldi à Mexico, de voir les hommes se battre pour s'abreuver au sexe des femmes, se hisser de leurs sièges en traction sur leurs bras, après avoir assommé un pote à soi ou un vieux cochon pour qu'ils y renoncent, vers la passerelle où elles défilaient dans leur pinceau de lumière, choisissant une tête dans la foulée pour la plaquer entre leurs cuisses écartées, moi assis à l'écart sur un de ces bancs de bois, terrorisé et étourdi, rétrécissant et m'incrustant dans ce banc au fur et à mesure du déroulement du spectacle le plus primaire et le plus beau du monde, cette communion des hommes dans la toison des femmes, cet élan juvénile même des plus âgés pour l'atteindre, je les buvais des yeux le cœur battant, disparaissant quasiment sous mon siège de crainte d'être élu par une des strip-teaseuses, car pour moi fourrer mon museau dans leur triangle c'était m'évanouir définitivement du monde, et y perdre ma tête à jamais, l'effeuilleuse avançait dans ma direction en me narguant, s'approchait toujours plus près, désignant mon effroi comme un élément comique à la risée des autres jeunes hommes, prête à s'accroupir devant ma face et saisir ma tête bouclée, la seule blonde encore de toute l'assistance, et la malmener jusqu'à ce que mes lèvres s'entrouvrent pour honorer la fente, et boire la soif des jeunes hommes qui s'y étaient assouvis, mais d'un seul coup les lumières se rallumèrent, la stripteaseuse surprise frissonna, ramassa un peignoir sur une chaise et détala, et les ouvreurs firent sortir comme des bêtes, à coups de sifflet sinon de fouet, les jeunes hommes assoiffés ou rassasiés, qui avaient perdu leur fougue en un éclair comme une illusion d'optique, une illusion de l'ombre, dans la lumière où ils redevenaient des travailleurs épuisés, aux costumes ternes et étriqués, qui avaient caché leur femme dans le fauteuil à côté d'eux.

22

Ce n'est pour l'instant qu'une fatigue inhumaine, une fatigue de cheval ou de singe greffée dans le corps d'un homme, qui lui donne envie à tout instant de fermer les paupières et de se retirer, de tout et même de l'amitié, sauf de son sommeil. Cette fatigue monstrueuse a localisé sa source dans les minuscules réservoirs lymphatiques qui se distribuent tout autour du cerveau pour le protéger, comme une petite ceinture de la lymphe, dans le cou sous les maxillaires, derrière les tympans, assiégée par la présence du virus, et qui se crève pour lui faire barrage, diffusant par les globes oculaires l'épuisement de ses systèmes de défense. Le livre lutte avec la fatigue qui se crée de la lutte du corps contre les assauts du virus. Je n'ai que quatre heures de validité par jour, une fois que j'ai remonté les stores immenses de la verrière, qui sont le potentiomètre de mon souffle déclinant, pour retrouver la lumière du jour et me remettre au travail. Hier, dès deux heures de l'après-midi, je n'en pouvais plus, j'étais à bout de forces, terrassé par les puissances de ce virus dont les effets s'apparentent, dans un premier temps, à ceux de la maladie du sommeil, ou à ceux de cette mononucléose dite maladie du baiser, mais je ne voulais pas lâcher prise et j'ai réattaqué mon travail. Ce livre qui raconte ma fatigue me la fait oublier, et en même temps chaque phrase arrachée à mon cerveau, menacé par l'intrusion du virus dès que la petite ceinture lymphatique aura cédé, ne me donne que davantage envie de fermer les paupières.

23

Il est de fait que tous ces derniers jours je n'ai absolument pas travaillé sur ce livre, à l'instant crucial du délai que je m'étais fixé pour raconter l'histoire de ma maladie, passant douloureusement le temps, en attendant ce nouveau verdict ou ce simulacre de verdict puisque j'en connais la teneur dans ses moindres détails tout en feignant de l'ignorer, et d'avoir encore, avec la complicité du docteur Chandi à qui j'ai laissé comprendre que je souhaiterais me leurrer, un brin d'espoir, mais aujourd'hui, 11 janvier, qui devait être le jour du verdict, je m'en mords les doigts car je me retrouve entièrement ignorant de ce que je sais déjà, à savoir que j'ai tenté sans succès de joindre à son cabinet le docteur Chandi, qui devait passer prendre mes résultats ce matin à l'hôpital Claude-Bernard, comme il m'avait promis au téléphone qu'il le notait l'année passée sur son prochain agenda, à sa propre place et à la mienne en même temps, jouant à la fois nos deux rôles de médecin et de patient, ou me faisant croire qu'il les jouerait, à la barbe des infirmières qui m'avaient imposé ce rendez-vous, tout simplement parce que le mercredi n'est pas le jour de consultation du docteur Chandi à son cabinet, et je me retrouve ce soir sans ces résultats, miné de ne pas les connaître le soir du 11 janvier comme depuis le 22 décembre je m'y attendais, ayant d'ailleurs passé ma nuit à rêver que je ne les obtenais pas, à rêver la même situation autrement : je joignais bien aujourd'hui, comme je croyais qu'il avait été convenu, le docteur Chandi au téléphone, mais il me disait désagréablement, après que je lui eus souhaité la bonne année et qu'il eut répondu pour la forme à mes vœux, tout plein d'arrière-pensées sinistres, qu'il avait autre chose à faire qu'à me renseigner, et que je devrais essayer de le rappeler à un moment où je ne le dérangerais pas dans sa consultation ; en même temps je pouvais interpréter favorablement sa négligence, car elle pouvait être le signe qu'il n'y avait aucune urgence à me faire rentrer à Paris, alors que c'est moi qui ai dramatisé ou inventé cette parodie de rapatriement, à un moment où il eût été naturel que je me trouve à Paris parmi mes amis et que, comme n'importe quel malade, je me rende à ce rendez-vous qu'on m'avait fixé afin de pouvoir me délivrer un médicament, le seul médicament existant qui pourrait vaincre mon épuisement ; mais il s'avérait dans le rêve que s'il n'y avait pas d'urgence à me rapatrier à Paris, c'était que le docteur Chandi, au vu des nouvelles analyses, avait compris qu'il n'y avait plus rien à faire qu'à tout laisser courir, en espérant seulement que le coma soit le plus rapide possible. Il y a deux jours, le 9 janvier, mes parents m'ont téléphoné hier pour m'en prévenir, est né le fils de ma sœur, qu'elle a décidé d'appeler Hervé, ignorant tout de ma maladie et de ma fin voisine probable, mais les pressentant peut-être, voulant me faire la surprise au dernier moment, me l'annonçant au déjeuner de Noël auprès de notre grand-tante Louise, alors que je venais de faire manger à l'hôpital notre autre grand-tante Suzanne, ajoutant qu'elle avait même eu la bonne idée supplémentaire d'appeler son fils Hervé Guibert puisqu'elle avait récupéré son nom de jeune fille et que le nouveau père ne tenait pas spécialement à donner son nom à cet enfant, et ma sœur me disait tout cela à moi, qui avais toujours pensé qu'elle était une personne parfaitement équilibrée. Ces derniers jours où, contre toute attente, malgré l'ultimatum que je m'étais fixé, j'ai laissé en friche l'histoire de ma maladie, je les ai passés péniblement à corriger mon précédent manuscrit, après l'intervention de David qui ne l'a pas du tout apprécié, alors que je m'étais avancé sur son propre terrain, celui du jeu de massacre, et que je n'aurais certainement jamais écrit ce livre si je ne l'avais pas connu et si je n'avais pas lu ses livres à lui, il me reprochait d'être un disciple indigne et de surcroît ne voyait dans mon livre, que j'ai écrit entre le 15 septembre et le 27 octobre tanné par la peur de ne pouvoir l'achever, qu'un brouillon de livre, bordant les trois cent douze pages de la dactylographie de traits rageurs, exaspérés, qui, pour la première fois, au moment où je devais les gommer dans la marge, me firent vraiment mal. David n'avait peut-être pas compris que soudain, à cause de l'annonce de ma mort, m'avait saisi l'envie d'écrire tous les livres possibles, tous ceux que je n'avais pas encore écrits, au risque de mal les écrire, un livre drôle et méchant, puis un livre philosophique, et de dévorer ces livres presque simultanément dans la marge rétrécie du temps, et de dévorer le temps avec eux, voracement, et d'écrire non seulement les livres de ma maturité anticipée mais aussi, comme des flèches, les livres très lentement mûris de ma vieillesse. Au lieu de cela, les deux derniers jours, en attendant le coup de fil du docteur Chandi, après avoir revu de bout en bout les trois cent douze pages de mon manuscrit, je n'avais fait que dessiner.

24

Jules, qui s'inquiétait ces derniers temps, à l'instar du
docteur Chandi, de ma santé morale, plus que de ma santé
physique, relativement à la solitude que je m'imposais ici à
Rome, m'avait donné ce conseil : « Tu devrais peindre. »
J'y songeais, depuis que dans la librairie d'art de la via di
Ripetta, en face de ce collège où parfois je passe, sans rôder,
laissant plutôt traîner mes yeux sur ses allées et venues
pleines de vivacité, attiré davantage par les effluves de
jeunesse que par la jeunesse elle-même, aimant à nager ou
me laisser porter passagèrement, pour une dérive courte
incluse dans la promenade qui avait un autre but, dans un
bain de jeunesse plutôt qu'à chercher à entrer en contact
avec telle ou telle de ses créatures, ressentant désormais
pour elles une attirance désincarnée, l'élan impuissant d'un
fantôme, et ne parlant plus jamais de désir, en feuilletant
debout quelques albums d'art, j'étais tombé en arrêt sur une
page d'un catalogue d'exposition qui s'était tenue à Milan
au Palazzo Reale, consacrée au XIXe siècle italien, et qui
venait de fermer ses portes. Le tableau, dû à un certain
Antonio Mancini, représentait un jeune garçon en costume
de deuil, aux cheveux crépus noirs ébouriffés qui juraient

légèrement sur l'ordonnance du pourpoint noir avec sa dentelle aux poignets, des bas noirs, des souliers noirs à boucles et des gants noirs, dont l'un était défait, celui du poing qui se pressait sur le cœur d'un geste désespéré, tandis que la tête partait en arrière pour se cogner contre un mur jaune veinulé, qui limitait le tableau et inscrivait dans la frise de faux marbre une lèpre d'incendie noyé, tandis que la main revêtue par le gant s'appuyait au mur, comme pour le repousser à la force du poignet, à la force de la douleur, et repousser la douleur à l'intérieur du mur. Le tableau s'intitulait : *Après le duel*, on y discernait en second, dans le bas à droite, une chemise d'homme souillée de sang en train de sécher, avec la marque de la main qui l'avait arrachée du corps, pendant comme un suaire, comme une enveloppe d'homme pelé, sur la pointe d'une épée qui dépassait à peine. Le tableau n'avouait pas l'anecdote de son sujet pour le murer, comme j'aime toujours, sur une énigme : le jeune modèle était-il l'assassin de la victime emportée hors du tableau ? ou le témoin ? était-il son frère ? son amant ? son fils ? Ce tableau extraordinaire fut à l'origine d'une suite de recherches frénétiques dans des bibliothèques et des librairies, chez des bouquinistes. J'appris qu'il avait été peint par Mancini à l'âge de vingt ans. Que son modèle était un certain Luigiello, le fils d'une concierge napolitaine qu'il avait peint de nombreuses fois, déguisé en saltimbanque, en collants d'argent sur une gondole vénitienne chargée de plumes de paon, avec son Pulcinella, rêveur rusé, chapardeur, musicien funambule, et que Mancini l'avait adoré au point de l'emmener avec lui à Paris pour sa première grande exposition, bientôt pressé par ses parents de renvoyer Luigiello à Naples, bientôt interné aussi par cette famille bien intentionnée dans un hôpital psychiatrique d'où il devait ressortir laminé, ne peignant plus par la suite que des portraits conventionnels de la haute bourgeoisie. J'avais pensé, à partir de cette admiration inopinée, me mettre à la peinture ou à mon impuissance de la peinture à même cette admiration, c'est-à-dire, n'en plus finir d'essayer de repeindre, de mémoire, d'après reproduction et d'après l'original, ce tableau de Mancini intitulé *Dopo il duello* qui se trouvait à la Galerie d'Art moderne de Turin, toujours fermée pour travaux, de chercher par la peinture et mon incapacité à peindre les points de rapprochement et d'éloignement avec le tableau, jusqu'à ce que, par ce massacre, je l'aie entièrement assimilé. Mais, bien entendu, je fis tout autre chose que ce que j'avais prévu, et abordai finalement mon rêve de la peinture très en dessous de la peinture, comme me l'avait conseillé le seul peintre que j'aie un peu approché, par le biais du dessin, commençant par les objets les plus simples de mon environnement, les bouteilles d'encre, et, avant de m'attaquer aux visages vivants et peut-être bientôt au mien agonisant, à ceux, modelés dans la cire, d'ex-voto d'enfants que j'avais rapportés de mon voyage à Lisbonne.

25

Mancini s'était fait enterrer avec son pinceau et le *Manuel* d'Epictète, qui se trouve à la suite des *Pensées* de Marc Aurèle, dans l'exemplaire jaune Garnier-Flammarion que Muzil avait délogé de sa bibliothèque, couvert d'un papier cristal, quelques mois avant sa mort, pour me le donner comme étant l'un de ses livres préférés, et m'en recommander la lecture, afin de m'apaiser, à une époque où j'étais particulièrement agité et insomniaque, ayant même dû me résoudre, sur les conseils de mon amie Coco, à des séances d'acupuncture à l'hôpital Falguière, où un médecin au nom chinois m'abandonnait en slip sous une tente mal chauffée, après m'avoir planté au sommet du crâne, aux coudes, aux genoux, à l'aine et sur les orteils de longues aiguilles qui, oscillant au rythme de mon pouls, ne tardaient pas à laisser sur ma peau des rigoles de sang que le docteur au nom chinois ne prenait pas la peine d'éponger, ce docteur obèse aux ongles sales auquel je continuais de confier mon corps, m'étant toutefois soustrait aux intraveineuses de calcium qu'il m'avait prescrites en complément, deux ou trois fois par semaine, jusqu'au jour où, saisi de dégoût, je le vis remettre les aiguilles maculées dans un bocal d'alcool saumâtre. Marc Aurèle, comme me l'apprit Muzil en me donnant l'exemplaire de ses *Pensées,* avait entrepris leur rédaction par une suite d'hommages dédiés à ses aînés, aux différents membres de sa famille, à ses maîtres, remerciant spécifiquement chacun, les morts en premier, pour ce qu'ils lui avaient appris et apporté de favorable pour la suite de son existence. Muzil, qui allait mourir quelques mois plus tard, me dit alors qu'il comptait prochainement rédiger, dans ce sens, un éloge qui me serait consacré, à moi qui sans doute n'avais rien pu lui apprendre.

26

Marine avait débuté les représentations de sa pièce lorsque j'étais au Mexique, dès mon retour la rumeur m'avertit que c'était un désastre. Elle avait accumulé les erreurs, bâtissant tout un spectacle à partir du choix d'un rôle comme un caprice, recherchant vainement à travers l'Europe un metteur en scène un peu réputé car les plus fiables s'étaient désistés devant l'absurdité du projet, de même que les vedettes masculines, seules habilitées à lui donner la réplique dans ce duo convenu de monstres sacrés. Du coup les catastrophes s'étaient télescopées : Marine avait dû faire virer pour cause d'ivrognerie, en étouffant l'affaire dans les journaux, le metteur en scène ersatz, et le partenaire ersatz, un comédien de second plan, prenait chaque jour un peu plus d'ascendant sur elle et sur son jeu affaibli par les déconvenues, excité érotiquement à l'idée de terrasser la star usurpatrice d'un talent dont l'inexistence allait enfin pouvoir éclater un grand jour, en comparaison de son génie d'acteur fourbi sur de vraies planches de théâtre, et non comme elle sur des pages de magazines féminins. La première fut un massacre. Marine était perdue dans son jeu, égarée de surcroît par les tactiques de son partenaire, qui à dessein ne répétait jamais les mêmes déplacements et, sous prétexte de rendre véridique la violence du rapport de forces entre le personnage masculin et le personnage féminin, la maltraitait physiquement au point, quand il l'avait soulevée dans ses bras, de la jeter par terre de tout son haut. Marine ne savait plus à quel gourou se vouer pour redonner un semblant de cohérence à son jeu, déconstruit par le remplacement du metteur en scène, dérouté par la fourberie de son partenaire, et pulvérisé par ses propres angoisses et ses inclinations à la folie. Par l'intermédiaire d'un romancier qui attendait alors le Prix Goncourt qu'on lui avait promis, et, comme cela arrive toujours, qu'il attend encore depuis six ans, n'écrivant semble-t-il que des livres destinés à obtenir ce prix, et n'étant même plus capable, depuis lors, que de promulguer ironiquement, trois mois avant l'attribution des prix, des titres de livres qui sont sans rapport avec aucun livre puisque l'éditeur s'aperçoit trop tard, après avoir lancé la publicité et la campagne de presse pour le livre, qu'il n'y avait même aucun manuscrit derrière ce titre, Marine avait fait appel à ce roublard désespéré pour entreprendre des recherches sur l'hystérie féminine, qui, croyait-elle, pourraient valider sa prestation. Marine était seule au monde, pauvre petite star démasquée, exposée, à la suite d'un immense succès public au cinéma, à toute la méchanceté du monde qui se venge de ce succès qu'il a inventé. Le père du fils de Marine, Richard, tournait un film dans le désert, il lui envoyait chaque jour une longue lettre dans laquelle il lui parlait de la contemplation des étoiles dans le ciel dégagé du désert, et de ses lectures insomniaques de Gaston Bachelard. Le sac de Marine était plein de ces lettres chiffonnées qu'elle relisait sans cesse. La directrice du théâtre qui produisait le spectacle lui avait offert, avant la première, un diamant. Cette femme d'affaires ne se souciait pas que Marine soit mal à l'aise dans son rôle, et au bord d'un effondrement moral peut-être irréparable, seule lui importait la composition de son parterre de première, avec une princesse de Monaco, tel danseur étoile et tel grand couturier, tous conviés à la corrida. Leurs applaudissements furent fracassants mais leurs arrière-pensées ricanantes et les rumeurs qu'ils s'empressèrent de colporter coïncidèrent avec le verdict injustifié de la critique : que Marine ressemblait à une guenon déchaînée qui se cognait en piaillant aux barreaux de sa cage. Les lauriers revenaient à son partenaire, ce gros porc qui effectivement, j'ai vu le spectacle à mon retour du Mexique, tirait une ignoble épingle du jeu incohérent de Marine, à qui il n'adressait même plus une parole dans les coulisses. La directrice, qui se gaussait avec sadisme des critiques qu'elle affichait dans les couloirs, confortée d'avoir loué la totalité de ses fauteuils pour la durée entière des représentations, faisait le planton devant la porte de la loge de Marine, empêchant d'y entrer ses amis mais laissant s'y engouffrer les admirateurs les plus abracadabrants, afin de renforcer sa solitude et de hâter le processus de décomposition morale qui ne manquerait pas de créer un rebondissement publicitaire. A l'issue de la représentation, après une prise de bec avec la directrice, j'emmenai dîner Marine. Sans lui parler ni du spectacle ni de sa prestation, qui affectueusement se passait de tout commentaire, je lui conseillai d'interrompre par n'importe quel moyen ces représentations qui la brisaient. Elle en avait eu l'idée par elle-même, mais il fallait trouver un truc pour échapper aux polices d'assurances qui avaient engagé des centaines de millions dans la production. Marine me dit qu'elle était capable de se faire opérer de l'appendicite pour échapper au désastre. Le lendemain elle consultait le docteur Lérisson qui lui dit qu'une opération de l'appendicite n'était pas nécessaire, il pouvait facilement inventer et détecter une infection dans des analyses. Le surlendemain Marine était transportée d'urgence dans un hôpital de Neuilly, les représentations étaient suspendues, la presse s'alarma sur l'état de santé de Marine ou, aiguillonnée par la directrice du théâtre, sur les raisons de sa défection, les photographes charognards d'un magazine à scandale forcèrent la porte de sa chambre pour la torpiller de flashes, Marine se tapit en hurlant sous ses couvertures, un vigile fut embauché pour garder sa porte. J'allais lui rendre visite, je lui apportais les notes prises autour du scénario que j'avais écrit et qu'elle voulait tourner, elle les dévorait au fur et à mesure et les pliait sur sa table de nuit, nous riions ensemble, elle avait ce jour-là les poignets bandés, je m'en souviens, je lui dis que je souhaiterais faire avec elle un remake du portrait de la sainte Teresa Maria Emerich peinte par Gabriel von Max : toute transparente et bleutée dans son capuchon de gaze qui encercle sa tête comme une couronne pour cacher ses stigmates, ses poignets bandés exactement comme les siens. Je demandai à Marine s'il s'agissait d'un simulacre pour les journalistes. Non, me répondit-elle, on venait de lui faire une transfusion de sang.

27

J'avais écrit ce scénario en pensant à Marine, bien sûr, puisque j'en avais fait le modèle de mon personnage principal, pillant chez elle certains éléments biographiques comme la névrose de son image poussée à bout dans le cinéma, cette obsession tantôt positive, tantôt négative de démultiplier son visage à l'infini, fourmi bâtisseuse de son mausolée de star, ou de la bloquer, de l'anéantir à coups de ciseaux et d'aiguilles portés aux négatifs photographiques, jusqu'à l'angoisse symbolique, c'était là l'invention du scénario, que la lumière des projecteurs l'ait brûlée vive, irradiée dans sa moelle par ses rayons mortels. Mais la ressemblance pointilleuse entre Marine et mon personnage m'avait fait dire que ce ne devrait pas être elle, justement, qui jouerait son rôle. Pourtant, j'avais quelques scrupules à utiliser ainsi sa vie sans la prévenir, et j'avais décidé de lui faire lire quand même mon scénario, par honnêteté amicale, et pour récolter ses remarques. Elle m'avait appelé le soir même du jour où j'avais fait déposer mon script dans sa boîte aux lettres pour me dire qu'elle le trouvait splendide, à quelques détails près, et qu'elle tenait absolument à en jouer le rôle. J'étais drôlement perplexe : à la fois ému et fou de joie par l'assentiment de Marine qui devait me permettre de monter sans mal la production de mon film, et inquiété par son caractère ambigu qui risquait en même temps de la compliquer. J'avais découvert à cette époque, à la suite d'un article et de recherches dans des publications scientifiques, un objet céleste identifié récemment par les astronomes, un trou noir comme ils les appelaient, une masse spatiale qui absorbait au lieu de diffuser, se grignotait elle-même par un système autarcique de dévoration, et dévorait ses bords pour accroître son périmètre négatif, les astronomes avaient donné à ce nouveau trou noir le nom de Geminga, dont je baptisai à mon tour mon héroïne. Le père du fils de Marine, Richard, était rentré du désert, lui aussi était un de mes modèles, évidemment, en tant qu'opérateur de cinéma et amant de Marine il était devenu le personnage masculin de mon scénario, que je lui fis lire, là encore par honnêteté, et il me le rendit en me disant que c'était atroce cette impression d'avoir été espionné à son insu pendant des années, comme s'il découvrait tout à coup le micro que j'aurais glissé cinq ans plus tôt dans ses chaussures. J'eus plusieurs rendez-vous de travail avec Marine sur mon scénario, elle m'en fit modifier certains noms, récrire des scènes, en supprimer ou en rajouter d'autres, et mit en branle par son acceptation, et sa promesse devant des témoins de la profession qu'elle mettrait son cachet en participation, le processus de production de film, qui ne tarda pas à trouver sur son nom une productrice et des coproducteurs, un distributeur et une avance-télé. Mais Marine m'empêcha de vendre à ces gens mon scénario, à un moment où j'avais besoin d'argent pour me libérer du journalisme qui était mon gagne-pain, arguant que nous devions garder toute liberté sur ce projet auquel elle tenait tant. J'avais confié à Marine, alors que je l'accompagnais un soir en autobus jusqu'au théâtre après avoir cherché en vain des taxis et que l'heure du lever de rideau se rapprochait affreusement, que financièrement je n'aurais pas les reins assez solides pour préserver longtemps cette indépendance qu'elle m'imposait. Elle me regarda étrangement. Marine, qui touchait des cachets de trois cents briques, n'arrêtait pas, me raconta un jour Richard, de le taper, comme il lui arrivait de m'emprunter de petites sommes d'argent, à moi qui n'avais pas le sou. J'avais dit à Eugénie, qui était alors mon chef de service, dans l'avion qui nous ramenait de New York où elle venait enfin d'obtenir l'aval d'un homme d'affaires pour le financement d'un magazine culturel, qu'il me serait impossible de m'enrôler dans son équipe et d'en être un des tout premiers pions comme elle me le demandait, requis par la préparation de mon film. Je ne faisais quasiment plus d'articles au journal et, comme j'étais payé à la pige, je me retranchai derrière une situation périlleuse. Nous brassions avec mes producteurs et mon distributeur, au cours de nos séances de travail, des centaines de millions sur papier, et plus nous dénichions d'argent pour le financement de mon film, plus mon découvert en banque se creusait. Marine était sortie de l'hôpital, l'affaire s'était étouffée, Marine intentait un procès à son partenaire et la directrice de théâtre à Marine. Je la revis début mars, pour la cérémonie des Oscars où elle apparut dans une atroce robe blanche enguirlandée de perles, avec un chignon de mémé, claudiquant sur de trop hauts talons dans son fourreau mal ajusté, comme une Mae West saoule alors qu'elle n'avait pas trente ans, un costume de malheur me dis-je, dans lequel, après son échec au théâtre, elle ne pouvait qu'essuyer une seconde claque, surplantée par sa rivale, qui l'avait remplacée au pied levé dans son rôle au théâtre et était elle aussi une favorite de la compétition. Mais si Marine était présente à cette soirée sinistre, me dis-je par la suite, telle que je la connaissais, ce ne pouvait être que parce qu'on lui avait donné l'assurance qu'elle remporterait le prix. J'obtins lors de la même soirée le prix du meilleur scénario, ce qui fit dire à Muzil, qui avait suivi la cérémonie à la télévision, que j'avais l'air « vraiment content ». C'est vrai que je l'étais, Marine m'avait entraîné à sa suite dans le sillage des paparazzi et avait joué parfaitement devant les mêmes photographes qui avaient forcé la porte de sa chambre d'hôpital la parade de son triomphe, téléphonant à sa mère avec des larmes bien brillantes dans les flashes pour le lui faire partager en direct depuis la cabine des cuistots du *Fouquet's*, qui posaient comme moi grisés à côté de la star. Je devais revoir Marine pour dîner, seul avec elle, quelques jours plus tard. Je lui avais fait le reproche au téléphone de ne jamais citer notre projet commun dans ses interviews, elle m'avait demandé, de sa voix harcelée, agacée et suppliante, d'être patient. J'avais réservé dans un restaurant indien, elle se fit décommander par une secrétaire une heure avant le rendez-vous. Comme j'essayais de la joindre depuis plusieurs jours, je rappelai un peu plus tard dans la soirée, elle ne se gênait jamais pour m'appeler à n'importe quelle heure de la nuit, à son numéro personnel. Il n'y eut pas de sonnerie, on décrocha immédiatement, je perçus une respiration contenue, et, une fois que j'eus essayé de parler, on raccrocha. J'étais dans mon lit, et tout à coup ce signe prémonitoire de la trahison de Marine m'enfonçait un pieu dans le ventre, et le lit tournait tout autour du pieu comme un carrousel méchant dont Marine actionnait la manivelle, pour mieux me torturer. Le lendemain je réussis à joindre Richard qui m'apprit, sous le sceau du secret, les causes du désistement de Marine : elle avait une love affair avec un acteur américain un peu ringard, mais multi-milliardaire, qui lui promettait en échange d'un contrat de mariage un contrat pour trois films comme vedette aux Etats-Unis, le rêve de Marine. Richard, au plus mal, me demanda ce que j'en pensais, je lui dis cette phrase : « Elle en reviendra assez vite, mais comme une accidentée », je me souviens très précisément de ce que j'ai dit : « un peu comme une grande brûlée ». A partir de là, doutant de l'engagement de Marine qu'elle avait pourtant confirmé par une lettre de son agent, le lendemain du jour où elle s'était désistée, pour se donner bonne conscience et avec son égoïsme habituel, je dus continuer de faire bonne figure avec les producteurs et les distributeurs auprès desquels j'étais engagé, et tenter de proposer pour le rôle féminin des solutions de remplacement qui bien sûr ne leur agréaient point. Menacé matériellement par ce découvert en banque qui s'accroissait de jour en jour, retranché comme un forcené derrière mon refus de retourner au journalisme qui aurait été pour moi comme baisser la nuque à l'abattoir, je me décidai à taper l'intégralité de mon journal, trois cahiers à ce jour et leur masse de malheurs qui me prenaient à la gorge, pour l'apporter à l'éditeur qui avait déjà publié cinq livres de moi, et en négocier le prix. J'hésitai à lui réclamer une avance, comme à demander un prêt à ma productrice. Muzil me dit : « Ne te laisse pas prêter de l'argent par eux, sinon ils se payeront sur ta viande. » Je n'avais jamais entendu cette expression, qui résonnait en moi si brutalement. Muzil, à quelques mois de sa mort, insistait pour me prêter de l'argent, un argent que par la force des choses il me serait devenu impossible de restituer.

28

Quand je déposai le manuscrit de mon journal chez mon éditeur, le brave homme, qui avait déjà publié cinq de mes livres, me faisant signer leurs contrats dès le lendemain du jour où je les lui avais apportés, sans que j'en lise aucun paragraphe puisque c'était le contrat type et que je pouvais lui faire entière confiance, me dit qu'il n'aurait pas le temps de lire celui-là, car il faisait quatre cents pages dactylographiées, alors qu'il m'avait toujours réclamé un gros livre, un roman avec des personnages parce que les critiques étaient trop abrutis pour rendre compte de livres qui n'avaient pas d'histoire bien construite, ils étaient désemparés et du coup ne faisaient pas d'articles, au moins avec une bonne histoire bien ficelée on pouvait être sûr qu'ils en feraient un résumé dans leurs papiers puisqu'ils n'étaient pas capables d'autre chose, par contre qui serait assez fou pour accepter de lire un journal de quatre cents pages, une fois imprimé ça pourrait faire près du double et avec le prix du papier on arriverait facilement à un livre qu'on devrait vendre cent cinquante francs, or mon pauvre ami qui voudrait mettre cent cinquante francs pour un livre de vous, je ne voudrais pas être grossier mais les ventes de votre dernier livre n'ont pas été bien fameuses, vous voulez que j'appelle tout de suite pour demander les chiffres à ma comptable ? En deux ans cet homme avait vendu près de vingt mille exemplaires de mes livres, il n'avait pas fait pour eux la moindre ligne de publicité, voilà que des circonstances m'amenaient à trembler devant lui pour réclamer, même pas une avance mais un décompte de droits d'auteur qu'il me devait, et il me répliquait : « Oh ! et puis vous m'énervez avec votre odieuse sensiblerie ! Mettez-vous une bonne fois dans la tête que je ne suis pas votre père ! »

29

Le lendemain de cette cérémonie des Oscars qu'il avait suivie à la télévision, peut-être jaloux on ne sait jamais que je ne l'y aie pas convié, Jules passa chez moi et me coupa les cheveux. Il avait l'habitude mais ce dimanche matin-là, sans prévenir, sans me consulter, il sacrifia la quasi-totalité de ces boucles blondes qui avaient tellement associé dans l'esprit des gens ma physionomie, avec mon visage un peu rond, à celle d'un angelot, la décapant radicalement pour y sculpter tout à coup un long visage anguleux, un peu émacié, au front haut, un semblant d'amertume sur les lèvres, une tête inconnue de moi et des autres, qui furent frappés de stupéfaction lorsqu'ils la découvrirent et m'accusèrent plus ou moins violemment de les avoir abusés jusquelà avec une personnalité qui n'était pas la mienne, celle précisément qu'ils avaient aimée, Jules qui avait commis ce sacrifice le premier, puis Eugénie qui poussa des cris de terreur dans le bureau du journal en disant que j'avais l'air trop méchant, enfin Muzil qui reçut comme un coup de barre dans l'estomac quand il m'ouvrit sa porte, me demandant un temps d'acclimatement pour se remettre de son choc alors qu'il m'avait encore vu la veille au soir à la télévision avec ma tête de toujours. Je suis content aujourd'hui que, exactement trois mois avant sa mort, Muzil ait eu l'occasion de faire connaissance avec ma tête de trente ans qui sera certainement, en un peu plus creusée, ma tête de mort. Je suis heureux que le geste de Jules fît que je n'eus pas à cacher à Muzil vivant ma vraie tête d'homme de bientôt trente ans, car il eut ce jour-là, après avoir lutté en lui-même contre un mouvement d'effroi et de recul, la générosité, à force de concentration, d'admettre cette tête enfin vraie, et de déclarer qu'au fond il la préférait à la tête qui avait fait qu'il m'avait aimé, ou plus précisément qu'il la trouvait plus juste, et plus adéquate à ma personnalité que ma charmante tête d'angelot bouclé. Il se déclarait finalement ravi du sacrifice de Jules, et il en tapait de joie dans ses mains, voilà comment était Muzil, cet ami irremplaçable. A cette époque il me réclama les coordonnées d'un notaire, que j'empruntai à Bill qui venait de faire un testament en faveur du jeune homme dont il était amoureux, « à condition qu'il ne meure pas de mort violente », réduisant par là les risques d'assassinat. Muzil était rentré perplexe de cette visite chez le notaire : il voulait tout léguer à Stéphane, bien entendu, mais le notaire lui avait expliqué que cette succession d'homme à homme sans lien légal se solderait fiscalement en défaveur de Stéphane, à moins qu'il ne plaçât son argent en tableaux de valeur qui pourraient subrepticement passer à sa mort d'un appartement dans l'autre. Muzil me dit ce jour-là avec l'air adorable qu'il avait lorsque je partais de chez lui et qu'il m'envoyait un dernier baiser du bout de son index pointé sur ses lèvres : « Et puis j'ai pensé à te laisser un petit quelque chose. »

30

Marine était partie vivre aux Etats-Unis, je ne recevais de ses nouvelles que par les journaux à scandale qui la montraient, un peu floue au bout d'un téléobjectif, avec ses lunettes noires dans les rues de Los Angeles, main dans la main avec son vieux beau, mais je remarquai aussi, minuscule sur les photos, qu'elle ne quittait jamais un gant, son petit gant de batiste blanc, pour tenir cette main qui me répugnait, elle ne nous trompait pas entièrement ni Richard ni moi. J'attendais la réponse de l'Avance sur recettes pour mon scénario que j'avais déposé six mois plus tôt, à un moment où je pensais que mon film se ferait, et désormais, à cause de la défection de Marine, le verdict de ce concours était ma dernière chance de réaliser un jour mon film. Muzil, que je tenais au courant, au fur et à mesure de mes avanies, me conseilla d'écrire à Marine dans sa maison de Beverly Hills, ce que mon orgueil m'aurait empêché. Il m'avait raconté, peut-être en l'embellissant, l'histoire de la symphonie dite des Adieux, de Haydn : embauché compositeur à la cour du prince Esterházy, un esthète tyrannique, Haydn avait écrit sa dernière symphonie en forme de manifeste, y faisant participer les musiciens qui se plaignaient de ce que les caprices du prince Esterházy les retenaient tard dans la saison, dans ce palais d'été attaqué par les frimas, les empêchant de rejoindre en ville leurs familles. La symphonie démarrait avec pompe, réunissant tous les instruments de l'orchestre, qui se vidait petit à petit et à vue de ses effectifs, Haydn ayant écrit la partition pour l'extinction successive des instruments, jusqu'au dernier solo, incluant même dans la musique le souffle des musiciens qui éteignaient la chandelle de leurs pupitres, et leurs bruits de pas pour s'échapper en catimini quand ils faisaient grincer le parquet lustré de la salle de concert. C'était indéniablement une belle idée, concomitante à la fois du crépuscule de Muzil et de l'évanouissement de Marine, et, suggérée par Muzil, ce fut l'histoire que je racontai à Marine dans ma lettre, qui ne reçut jamais de réponse.

31

Muzil s'écroula dans sa cuisine avant le long week-end de la Pentecôte, Stéphane l'y retrouva inanimé dans son sang. Ignorant que c'était précisément ce que Muzil avait voulu éviter, le mettant à l'écart de sa maladie, Stéphane appela aussitôt le frère de Muzil, qui le fit transporter près de chez lui à l'hôpital Saint-Michel. J'allai lui rendre visite le lendemain dans cette chambre qui se trouvait près d'un sas de cuisine, et puait le merlan pané des cantines. Il faisait un temps splendide, Muzil était torse nu, je découvrais un corps magnifique, parfaitement musclé, délié et puissant, doré, parsemé de taches de rousseur, Muzil s'exposait fréquemment au soleil sur son balcon, et quelques semaines avant qu'il s'effondre, son neveu, avec qui il préparait l'installation de sa maison de campagne condamnée avant d'être achevée, découvrit dans un sac pour lui intransportable des haltères avec lesquels son oncle s'entraînait chaque jour, malgré son souffle ravagé par la pneumocystose, pour lutter contre la progression diabolique du champignon qui colonisait ses poumons. La sœur de Muzil sortait de la chambre dès que j'arrivais pour nous laisser seuls, elle lui avait apporté des

93

nourritures de complément, des pâtes de fruits, je ne l'avais jamais rencontrée, c'était une femme au chignon gris, apparemment énergique, mais dont les circonstances ou les révélations faites par l'autre frère chirurgien lui arrachaient les larmes, sinon adoucissaient sa forte poigne. Muzil était assis là dans ce fauteuil inclinable de moleskine blanc, devant la fenêtre ensoleillée, dans cette chambre qui puait le merlan pané, dans le silence de cet hôpital déserté par le week-end de la Pentecôte. Il dit, en évitant mes yeux : « On croit toujours, d'un tel type de situation qu'il y aura quelque chose à en dire, et voilà qu'il n'y a justement rien à en dire. » Il ne portait plus ses lunettes, et en même temps que son torse de jeune homme à la peau très légèrement plissée, je découvrais son visage sans lunettes, je ne saurais quoi en dire, je ne l'ai pas retenu, l'image de Muzil que j'évite toujours de faire revenir s'est pourtant gravée dans ma mémoire et dans mon cœur avec ses lunettes, si ce n'est en se frottant les yeux aux moments brefs où il les ôtait devant moi. A cause de sa chute il avait un peu de sang séché derrière le crâne, je le vis lorsqu'il se redressa, épuisé, pour se recoucher. On avait placé une manette au-dessus de son lit qui lui permettait de s'y agripper pour se recoucher ou se relever, et soulageait un peu ce mouvement musculaire et de respiration qui lui arrachait la poitrine en tétanisant tout son corps, raidissant jusqu'à ses jambes dans des crampes nerveuses saccadées. Il continuait de s'époumoner dans des quintes interminables, qu'il ne brisait que pour me prier de quitter la pièce. On avait placé sur sa table de chevet un crachoir de carton brun, et l'infirmière disait à chaque passage qu'il devait cracher, cracher le plus possible, et la sœur qui l'avait entendu de l'infirmière répéta en sortant et en désignant le crachoir qu'il devait cracher, cracher le plus possible, et cela énervait Muzil, il savait que plus rien ne sortait. On devait lui faire une ponction lombaire, il avait peur.

32

Je retournais chaque jour voir Muzil à Saint-Michel, la chambre sentait toujours le merlan pané, le même plein soleil s'arrêtait à la lisière de la fenêtre carrée, la sœur s'esquivait en me voyant arriver, Muzil n'avait pas mangé les pâtes de fruits, le crachoir était vide, et on avait raté la ponction lombaire, on devait en tenter une seconde, c'était horriblement douloureux, les infirmières disaient que le tassement des vertèbres à cause de l'âge empêchait la pénétration du drain à l'intérieur de la moelle, maintenant qu'il connaissait cette douleur Muzil la craignait par-dessus tout, ça se lisait désormais dans son œil la panique d'une souffrance qui n'est plus maîtrisée à l'intérieur du corps mais provoquée artificiellement par une intervention extérieure au foyer du mal sous prétexte de le juguler, il était clair que pour Muzil cette souffrance était plus abominable que sa souffrance intime, devenue familière. Echaudé par l'échec latent de mon film, qui devait prendre une tournure officielle à moins que je n'obtinsse l'Avance sur recettes, j'avais repris timidement du service au journal, je faisais quelques articles par-ci par-là. Je venais d'interviewer un collectionneur de portraits naïfs d'enfants, il m'avait donné le catalogue de son exposition, et je l'avais là sur mes genoux avec les journaux que j'apportais à Muzil, je décidai de lui montrer l'album, assis à côté de lui étendu sur son lit, il renonçait à l'effort inhumain d'aller s'asseoir dans le fauteuil. Nous tombâmes rapidement sur un portrait intitulé « Petit garçon triste », qui aurait pu à l'évidence être le portrait d'enfant de Muzil que je n'avais jamais vu à cet âge en photo : un air studieux et mélancolique, à la fois buté et éperdu, renfermé sur lui-même mais avide d'expériences. Muzil me demanda à brûle-pourpoint ce que je faisais de mes journées : soudain, dans le trouble de son intelligence, mon emploi du temps, qu'il connaissait auparavant pratiquement heure par heure à cause de nos conversations téléphoniques quotidiennes, était devenu mystérieux pour lui, et il me demandait cela avec suspicion, comme s'il découvrait d'un seul coup dans son ami un paresseux invétéré dont l'oisiveté lui répugnait, ou comme si je passais mon temps justement à la solde de ses ennemis, devenus légion, pour fomenter les conspirations qui allaient précipiter sa déchéance. « Mais enfin que fais-tu de toutes tes journées ? » me répétait-il chaque jour, lui dont l'activité était paralysée, réduite à des mouvements réguliers de l'œil qui suivaient la balle de tennis sur l'écran de télévision qui transmettait en direct Roland-Garros. Je lui dis que j'avais repris mon manuscrit sur les aveugles, et je vis dans son regard une pointe de souffrance terrifiée, conscient de son impuissance à reprendre son manuscrit à lui, dont le dernier volume restait en plan. Dès ma première visite à l'hôpital, je l'avais notifiée dans mon journal, point par point, geste après geste et sans omettre le moindre mot de la conversation raréfiée, triée atrocement par la situation. Cette activité journalière me soulageait et me dégoûtait, je savais que Muzil aurait eu tant de peine s'il avait su que je rapportais tout cela comme un espion, comme un adversaire, tous ces petits riens dégradants, dans mon journal, qui était peut-être destiné, c'était ça le plus abominable, à lui survivre, et à témoigner d'une vérité qu'il aurait souhaité effacer sur le pourtour de sa vie pour n'en laisser que les arêtes bien polies, autour du diamant noir, luisant et impénétrable, bien clos sur ses secrets, qui risquait de devenir sa biographie, un vrai casse-tête d'ores et déjà truffé d'inexactitudes.

33

La mémoire fait sans doute un bond et je n'ai pas envie de me référer à ce journal pour m'épargner aujourd'hui, cinq ans après, le chagrin de ce qui, en collant de trop près à son origine, le restitue méchamment, Muzil avait été transféré à la Pitié-Salpêtrière. Quand j'entrai dans sa nouvelle chambre, elle était pleine d'amis, mais lui n'était pas là, on attendait qu'il rentre de l'ultime tentative de ponction lombaire, on lui volait sa moelle. Stéphane lui rapportait ses tas de courrier de la maison, il ne laissait pas à Muzil le soin de l'ouvrir, il le jetait au fur et à mesure au panier en lui disant ce que c'était, il y avait dans les envois ce jour-là un livre de Matou, dont le titre évoque l'odeur des cadavres, Muzil le feuilleta pour trouver la dédicace, il lut : « Ce parfum ». Avec panique il me demanda ce que cela signifiait, et moi, avec une légèreté appliquée, je répondis que c'était du Matou tout craché, et qu'il n'y avait rien à comprendre là-dedans de particulier. Une connaissance présente pour meubler le silence relata sa visite au Grand Palais d'une exposition dans laquelle était montré un tableau au titre fameux que Muzil avait longuement commenté dans un essai. Mais Muzil ne parvenait pas à voir de quoi il s'agissait, il posait des questions sur le sujet du tableau, conscient par la gêne générale d'une glissade de son esprit, le pire pour lui. Quand nous sortîmes tous ensemble de la chambre, parce qu'on devait procéder à des soins, Stéphane nous déclara dans la cour de l'hôpital que la maladie de Muzil, il nous l'avait caché jusque-là pour que nous continuions à faire bonne figure devant lui, et lui-même l'avait appris depuis peu, était fatale, qu'on avait décelé plusieurs lésions irréparables au cerveau, mais qu'il ne fallait surtout pas que ça s'ébruite dans Paris, et il partit tout seul abruptement en refusant « l'aide morale » que certains d'entre nous se disaient prêts à lui prodiguer.

34

Le lendemain j'étais seul dans la chambre avec Muzil, je pris longuement sa main comme il m'était parfois arrivé de le faire dans son appartement, assis côte à côte sur son canapé blanc, tandis que le jour déclinait lentement entre les portes-fenêtres grandes ouvertes de l'été. Puis j'appliquai mes lèvres sur sa main pour la baiser. En rentrant chez moi, je savonnai ces lèvres, avec honte et soulagement, comme si elles avaient été contaminées, comme je les avais savonnées dans ma chambre d'hôtel de la rue Edgar-Allan-Poe après que la vieille putain m'eut fourré sa langue au fond de la gorge. Et j'étais tellement honteux et soulagé que je pris mon journal pour l'écrire à la suite du compte rendu de mes précédentes visites. Mais je me retrouvais encore plus honteux et soulagé une fois que ce sale geste fut écrit. De quel droit écrivais-je tout cela ? De quel droit faisais-je de telles entailles à l'amitié ? Et vis-à-vis de quelqu'un que j'adorais de tout mon cœur ? Je ressentis alors, c'était inouï, une sorte de vision, ou de vertige, qui m'en donnait les pleins pouvoirs, qui me déléguait à ces transcriptions ignobles et qui les légitimait en m'annonçant, c'était donc ce qu'on appelle une prémonition, un pressentiment puissant, que j'y étais pleinement habilité car ce n'était pas tant l'agonie de mon ami que j'étais en train de décrire que l'agonie qui m'attendait, et qui serait identique, c'était désormais une certitude qu'en plus de l'amitié nous étions liés par un sort thanatologique commun.

35

Muzil avait été transféré dans le service de réanimation au bout du couloir, Stéphane m'avait prévenu qu'il fallait se désinfecter les mains dans le sas, enfiler les gants et les chaussons de plastique, et se revêtir d'une blouse et d'un bonnet antiseptiques. A l'intérieur de la chambre de réanimation c'était un bordel incroyable, un nègre houspillait la sœur de Muzil parce qu'elle lui avait rapporté en cachette des nourritures, il jetait par terre ses petits pots de flan à la vanille en disant que c'était interdit, et que même tout ce qui était amassé sur la table de chevet était interdit, pour raisons d'hygiène et la commodité de ses mouvements à lui, l'infirmier du service de réanimation, en cas d'urgence. Il dit qu'on n'était pas dans une bibliothèque, il attrapa les deux livres de Muzil que Stéphane lui avait rapportés de la maison d'édition et qui sortaient tout frais de l'imprimerie, et décréta que même ça on n'en voulait pas ici, qu'il fallait uniquement le corps du malade et les instruments pour les soins. Dans un regard Muzil me pria de ne rien dire, et de sortir, moralement aussi il souffrait atrocement. Dans la cour de l'hôpital éclairée par ce soleil de juin qui devenait la pire injure au malheur, je compris, pour la première fois car quand Stéphane l'avait dit je n'avais pas voulu le croire, que Muzil allait mourir, incessamment sous peu, et cette certitude me défigura dans le regard des passants qui me croisaient, ma face en bouillie s'écoulait dans mes pleurs et volait en morceaux dans mes cris, j'étais fou de douleur, j'étais le *Cri* de Munch.

36

Le surlendemain, dans le couloir, j'aperçus Muzil derrière la vitre, les yeux clos dans son drap blanc, on lui avait fait une ponction cervicale, il y avait la marque du trou sur son front. La veille il m'avait demandé la permission de fermer les yeux, et de continuer à lui parler sans attendre de réponse de sa part, de lui parler de n'importe quoi, juste pour le son de ma voix, jusqu'à ce que je sois fatigué moi-même et que je m'en aille sans dire au revoir. Et moi comme un crétin je lui avais annoncé la nouvelle que j'avais apprise le matin, que je n'avais pas l'Avance sur recettes pour mon film, une espérance brisée, Muzil avait seulement dit, comme un sphinx : « Tout redémarrera en 86, après les législatives. » Une infirmière me rattrapa dans le couloir et me dit que je n'avais pas le droit d'être là sans autorisation préalable, parce que je n'étais pas de la famille, il fallait que je passe devant le médecin pour qu'il me délivre une autorisation, on filtrait les entrées, on craignait qu'un charognard prenne une photo de Muzil. Le jeune médecin me demanda qui j'étais, il me dit, allusivement, comme si j'étais parfaitement au courant de ce qu'il évoquait, ce qui n'était pas du tout le cas : « Vous savez, avec une maladie de ce type, dont on ne sait pas grand-chose pour être franc, il vaut mieux être prudent. » Il me refusa la permission de revoir Muzil vivant, il invoqua la loi du sang qui privilégiait les membres de la famille par rapport aux amis, ce n'était pas du tout qu'il remît en cause que j'étais un de ses proches, j'avais envie de lui cracher à la gueule.

37

Ni David ni moi ne pûmes revoir Muzil, qui pourtant réclamait notre présence, nous confirma Stéphane que nous appelions chaque jour aux nouvelles. J'avais envoyé à la Pitié un mot au nom de Muzil dans lequel je lui disais que je l'aimais, c'était bien la peine d'avoir attendu cet instant, et j'y avais joint une photo couleur prise par Gustave sur le balcon de l'hôtel d'Assouan, où je regardais de dos le coucher de soleil sur le Nil, on laissait au moins passer le courrier, pour me faire plaisir Stéphane me dit qu'il surprenait souvent Muzil avec cette photo à la main quand il arrivait. Désormais, m'expliquait Stéphane, Muzil ne s'exprimait plus que par des sentences allusives, par exemple : « Je crains que le potlatch ne tourne en ta défaveur » ou : « J'espère que la Russie redeviendra blanche. » A cause de la loi du sang, outre la visite primordiale de Stéphane, Muzil recevait chaque jour la visite de sa sœur, dont il s'était beaucoup éloigné malgré leur affection ces dernières dizaines d'années. Le jeune médecin, il l'avait rapporté à Stéphane, passait de longs moments dans la nuit à discourir avec Muzil. Un après-midi, je rentrais à mon domicile, un collègue journaliste me téléphona en me demandant si je détenais des photos de Muzil. Je ne comprenais pas, il s'effondra en larmes, je raccrochai et pris un taxi pour me rendre à l'hôpital. Dans la cour du bâtiment qui abritait le service de réanimation je croisai Stéphane avec d'autres connaissances, qui me dit, d'un ton normal : « Monte vite l'embrasser, il t'aime tellement. » D'un seul coup, seul dans l'ascenseur, j'avais un doute : il avait dit la phrase au présent, peut-être n'était-ce qu'une rumeur, en même temps l'attitude de Stéphane semblait trop normale pour l'être vraiment, je m'avançai dans le couloir, il n'y avait plus personne, ni planton ni infirmière de garde, comme si tout le monde était parti en vacances après un très grand effort, je revis derrière la vitre Muzil sous son drap blanc, les yeux clos, avec une étiquette à œillet au poignet ou à la jambe qui dépassait du drap, je ne pouvais plus entrer dans la cellule, je ne pouvais plus l'embrasser, j'agrippai une infirmière et je la repoussai dans le couloir en la prenant par sa blouse : « C'est vrai qu'il est mort ? Hein ? Il est vraiment mort ? » Je ne voulais surtout pas de réponse, j'avais pris mes jambes à mon cou. Je dévalais le pont d'Austerlitz en chantant à tue-tête la chanson de Françoise Hardy qu'Etienne Daho m'avait apprise par cœur : « Et si je m'en vais avant toi / Dis-toi bien que je serai là / J'épouserai la pluie, le vent / Le soleil et les éléments / Pour te caresser tout le temps / L'air sera tiède et léger / Comme tu aimes / Et si tu ne le comprends pas / Très vite tu me reconnaîtras / Car moi je deviendrai méchant / J'épouserai une tourmente / Pour te faire mal et te faire froid / L'air sera désespéré comme ma peine / Et si pourtant tu nous oublies / Il me faudra laisser la pluie / Le soleil et les éléments / Et je te quitterai vraiment / Et je nous quitterai aussi / L'air ne sera que du vent /

Comme l'oubli. » Je volais au-dessus du pont d'Austerlitz, j'étais le détenteur d'un secret que les passants ignoraient encore, mais qui allait changer la face du monde. Le soir même aux infos, Christine Ockrent sa petite chérie rendrait à Muzil son rire clair. Je passais chez David, il était avec Jean, tous les deux torse nu ils se grattaient partout, ils avaient pris de la poudre pour tenir le coup, ils m'en proposèrent, je préférai ressortir et continuer de chanter.

38

Je déjeunai avec Stéphane dans une pizzeria près de chez lui le lendemain de la mort. Il m'apprit que Muzil était mort du sida, il n'en avait rien su lui-même jusqu'à la veille au soir, en accompagnant la sœur au bureau des décès de l'hôpital, quand il avait lu en même temps qu'elle sur le registre : « Cause du décès : sida. » La sœur avait demandé qu'on biffe cette indication, qu'on la rature complètement, au besoin qu'on la gratte, ou mieux qu'on arrache la page et qu'on la refasse, bien sûr ces registres étaient confidentiels, mais on ne sait jamais, peut-être dans dix ou dans vingt ans un fouille-merde de biographe viendrait photocopier la page, ou radiographier l'empreinte incrustée dans la page suivante. Stéphane avait immédiatement exhibé l'unique testament autographe de Muzil qui le mettait à l'abri d'une intrusion de la famille dans l'appartement, mais les termes de ce testament restaient très allusifs, et ne désignaient pas Stéphane comme un héritier évident. Je le rassurai en lui apprenant que Muzil avait consulté ces derniers mois un notaire, dont je lui fournis l'adresse. Stéphane revint bredouille de cette entrevue avec le notaire : le testament existait, et en sa faveur bien sûr, mais ce n'était qu'un brouillon établi par le notaire à la suite de sa conversation avec Muzil, qui n'était jamais revenu signer sa mise au propre, et parce que de surcroît ce testament n'était pas de sa main il n'avait aucune valeur juridique. Stéphane dut négocier avec la famille l'obtention de l'appartement avec les manuscrits qui s'y trouvaient en échange de l'abandon des droits d'auteur et du droit moral qui ne lui étaient pas dévolus.

39

Le matin de la levée du corps, dans la cour de la Pitié non loin du crématorium, fut-ce une grève partielle des transports qui m'empêcha d'arriver à l'heure, sur la place d'Alésia je ne trouvai pas de taxi et me résolus à descendre dans le métro où deux ou trois correspondances devaient encore me retarder, dans les ruelles grises de ce vieux quartier au bord de la Seine, assez proche si j'y pense de l'institut médico-légal, de cette morgue qui me fait tomber des glaçons dans le dos chaque fois que j'y passe, une grande quantité de gens affluaient en cherchant le point de rendez-vous car Stéphane avait tenu à faire paraître une annonce dans deux quotidiens, il craignait que la cérémonie soit maigrichonne en comparaison des funérailles pompeuses de l'autre grand penseur mort quelques années plus tôt, de fait le quartier était cerné par des camionnettes de la police, et il y avait tant de monde massé dans la cour de la sortie des corps que je renonçai à me faufiler dans la foule pour me rapprocher, je me levai sur la pointe des pieds, un philosophe proche de Muzil, grimpé sur une caisse on aurait dit, avec son chapeau, disait en chuchotant le texte d'un hommage dont il fit ensuite l'offrande à Stéphane. On lui criait de parler plus fort. La foule se dissipa avec le départ du corps. Je rejoignis Stéphane, et David. Stéphane me dit que j'avais eu de la chance de ne pas revoir le corps, ce n'était pas beau à voir. David ne voulait pas se rendre à l'enterrement dans le village du Morvan de la famille de Muzil, il craignait de ne pas en avoir la force morale, j'avais envie qu'il vienne mais il a refusé jusqu'au bout, il a eu tort, cet enterrement fut assez joyeux et léger en regard du malheur des dernières semaines. Avant que les voitures démarrent, il y eut plusieurs mouvements d'allées et venues précipitées autour de la personne de Stéphane, une grande actrice amie de Muzil lui confia une rose de son jardin à jeter pour elle dans la fosse, c'est à cet instant que la secrétaire de Muzil, que je rencontrai pour la première fois, m'apprit qu'il lui avait fait écrire, lors de leur dernière séance de travail, des réponses positives à toutes les invitations qui lui étaient parvenues du monde entier, et dont les dates souvent, tant pis lui avait-il dit, se recoupaient, oui, il s'enchantait par avance, en s'en frottant les mains, de faire cette conférence au Canada, ce séminaire en Géorgie, et cette lecture à Düsseldorf. Sur la route, avec l'assistant de Muzil et Stéphane, nous nous arrêtâmes dans un relais et dégustâmes, ce fut une idée de Stéphane qui rappela que Muzil les adorait, des andouillettes grillées. La mère nous reçut, raide, royale et transparente, sans un pleur, engoncée dans son fauteuil à capuchon sous un tableau xviiie, elle tenait salon entourée de quelques femmes de notables du village venues lui présenter leurs condoléances, l'hebdomadaire qui avait fait sa couverture avec une photo de Muzil était posé en évidence sur le guéridon du milieu. Avec le frère nous visitâmes la propriété, elle était très vaste, c'était indéniablement une grande famille bourgeoise de province, la famille la plus respectée du village, avec sa figure prestigieuse de père chirurgien au chef-lieu. Je n'avais jamais imaginé que Muzil était né dans une famille si aisée et pourtant, si l'on y réfléchissait, tout cela avait un lien : son sens aigu de l'économie doublé d'une irresponsabilité en matière d'argent, son côté méfiant et presque regardant envers tous les signes de luxe, que j'aurais plutôt pris pour un réflexe petit-bourgeois. Le frère, qui n'était pas loin d'être le sosie de Muzil, nous montrait le jardin splendide, à un moment, la tête baissée, il dit : « C'est une maladie qu'on ne peut pas soigner. » Il nous emmena dans le bureau de Muzil, où étudiant il avait travaillé, c'était l'endroit le plus fruste de la maison, jamais chauffé, comme une cabane de jardinier dans laquelle il avait aménagé une bibliothèque, et où la mère depuis avait remisé tous ses livres. J'en sortis un de son rayon, le premier, et lut comme dédicace : « A Maman, le tout premier exemplaire de ce livre qui lui revient de droit et de naissance. » Ma mère me rapporta le lendemain au téléphone qu'elle avait entendu à la radio une interview de la mère de Muzil, qui recevait, assise sur un pliant, les journalistes devant le mur du cimetière, elle donnait une sorte de conférence de presse, elle déclarait : « Quand il était petit, il voulait devenir un poisson rouge. Je lui disais : mais enfin mon lapin, ce n'est pas possible, tu détestes l'eau froide. Cela le plongeait dans un abîme de perplexité, il répliquait : alors juste une toute petite seconde, j'aimerais tellement savoir à quoi il pense. » Cette mère avait tenu à ce qu'on commande une plaque mortuaire sur laquelle on indiquerait le nom de l'institution prestigieuse où Muzil donnait ses cours à la fin de sa vie, Stéphane

lui avait dit : « Mais enfin, tout le monde le sait » — et elle :
« Bien sûr tout le monde le sait maintenant, mais dans vingt
ou trente ans on ne peut jurer de rien avec seulement les
livres. » L'un après l'autre nous jetâmes dans la fosse une
fleur coupée qu'on nous tendait dans une corbeille, chacun
de nous était photographié par des correspondants de presse
au moment où il jetait cette fleur dans la tombe. En rentrant
le soir chez moi je téléphonai à Jules, il ne pouvait pas me
parler longtemps, il s'envoyait en l'air avec deux garçons
qu'il venait de ramasser dans une boîte, des types complètement drogués qui lui faisaient un peu peur. Berthe était
partie à la campagne avec leur fille de cinq mois.

40

J'avais riposté comme il est d'usage au deuil qui frappe un ami, en ne le laissant pas s'enferrer dans des problèmes de succession, le poussant plutôt à faire un voyage pour se changer les idées. Il était prévu qu'à cette date Muzil et Stéphane nous auraient rejoints sur l'île d'Elbe, et, durant le semestre qui avait précédé la mort de Muzil, nous avions souvent évoqué tous les trois ces vacances, Stéphane y croyait sincèrement, comme moi, et dans son double discours de la lucidité et de son leurre Muzil nous faisait croire qu'il croyait lui aussi à cette imminence des vacances, jusqu'au jour où, pour des raisons de préparatifs, il dut avouer dans mon dos à Stéphane, qui me le répéta après sa mort, qu'il n'avait jamais cru à la possibilité de ce voyage. Inquiet quant à sa propre santé, et l'éventualité quasi certaine de la transmission de l'agent destructeur qui avait tué Muzil, Stéphane consulta le spécialiste de la clinique dermatologique qui, n'en sachant trop rien lui-même mais voulant le rassurer, lui annonça qu'il avait certainement échappé au péril vu que le sida, à ce qu'il semblait, se transmettait par la présence à l'intérieur d'un corps, au

même moment, d'au moins deux sources d'infection différentes, de deux spermes contaminés qui agissaient ensemble
comme une détonation. J'invitai Stéphane à nous rejoindre
sur l'île d'Elbe, Gustave céda sa chambre à la veuve, qui
n'en manquait pas une pour se lamenter en public, ou, ce
qui était encore plus spectaculaire, pour fuir l'assemblée au
beau milieu d'un dîner et courir se claquemurer dans sa
chambre. J'étais préposé à frapper à la porte au bout d'un
quart d'heure, pour endiguer le torrent de larmes. Stéphane,
qui avait d'abord refusé de m'ouvrir, me jeta à travers ses
sanglots : « Je n'aurais jamais pu deviner que tu étais aussi
méchant, et Muzil non plus n'aurait jamais pu le deviner, tu
nous as tous abusés, tu es la perfidie incarnée, pauvre Muzil,
que ne s'est-il trompé sur ton compte ! » Je dis à Stéphane
que j'avais effectivement beaucoup de mal à me comporter
dans un groupe, que je n'arrivais pas à trouver un juste
milieu sociable entre un état de prostration renfrognée ou
d'euphorie agressive, mais que Muzil, à qui j'avais un jour
exposé ce dilemme, m'avait conseillé de ne surtout pas faire
d'efforts : les efforts étaient la pire des choses à infliger à
des amis, j'étais comme j'étais et on en avait pris son parti
puisqu'on m'aimait bien comme ça. Stéphane faillit me
baiser les mains à ces mots, il n'eut de cesse ensuite de me
trouver adorable, et d'excuser mes humeurs auprès des
autres. Il me confia qu'il culpabilisait un maximum de ce
que c'était la mort de Muzil qui lui donnait accès à une aussi
jolie maison, remplie d'aussi beaux garçons. C'est cet été-là,
bien sûr, que je dis à Gustave, étendu nu à mes côtés sur les
rochers où nous nous baignions : « On va tous crever de
cette maladie, moi, toi, Jules, tous ceux que nous aimons »

De l'île d'Elbe Stéphane partit pour Londres, où il prit contact avec une association d'entraide pour les victimes du sida. A son retour il décida de mettre sur pied un organisme similaire en France.

41

Stéphane me demanda, avant d'en prendre possession, de photographier l'appartement de Muzil tel qu'il l'avait laissé. Il voulait que je sois le témoin de la passation des lieux et fabriquer un document à destination des chercheurs. En arrivant dans la cour je remarquai qu'on avait ratiboisé le lierre du mur mitoyen en en chassant les moineaux qui faisaient un raffut du tonnerre quand je la traversais pour aller dîner chez Muzil. Le matin du rendez-vous, je n'avais plus remis les pieds dans son appartement depuis sa mort, c'était un jour grisaille, la lumière y surgit miraculeusement dès que je sortis les appareils photo. J'avais pris mon petit Rollei 35 pour les vues d'ensemble, le salon avec les masques nègres et le dessin de Picabia qui lui ressemblait, et emprunté le Leica de Jules pour faire le point sur des détails : dans la corbeille à papier était restée en place une enveloppe froissée avec une adresse que Muzil avait commencé à rédiger. En quatre mois le tourment de l'absence avait eu le temps de se déposer sur les choses comme une poussière qu'il était devenu impossible de refaire voler, elles étaient déjà intouchables, voilà pourquoi il fallait les photographier, avant leur recouvrement par de nouveaux désordres. Stéphane me montra, empilés dans un placard, les manuscrits, toutes les ébauches et les brouillons du livre infini qui n'avaient pas été déchirés. Sur les sofas s'accumulaient des documentations sur le socialisme, Muzil préparait un essai sur les socialistes et la culture, mais à l'époque de ce projet, m'avait confié son assistant dans l'autobus, il n'avait déjà plus toute sa tête à lui. Stéphane tint à ce que je photographie le lit de Muzil, que celui-ci ne m'avait jamais dévoilé, prenant soin de refermer la porte sur lui quand, les rares fois où nous sortions dîner, il s'apercevait qu'il avait oublié ses clefs ou son chéquier dans la poche d'une autre veste. De fait la chambre de Muzil était un cagibi sans fenêtre avec une paillasse, presque une niche, car, hormis son bureau spacieux avec sa bibliothèque, il avait tenu à céder à Stéphane, qui se le reprochait maintenant, la partie la plus confortable et la plus indépendante de l'appartement. A contrecœur, poussé dans le dos par Stéphane qui voyait là un document inestimable pour les chercheurs, je visai le pauvre matelas posé à terre, il est vrai qu'il n'y avait pas de profondeur pour prendre la photo et je savais par expérience qu'elle ne « donnerait » rien, mais le coup ne partit pas, il n'y avait plus de pellicule. Par cette série de photos, dont je ne fis jamais aucun tirage, me contentant de remettre à Stéphane un double des planches-contacts, je m'étais détaché comme un sorcier de ma hantise, en encerclant la scène torpillée de mon amitié : ce n'était pas un pacte d'oubli mais un acte d'éternité scellé par l'image. L'association humanitaire de Stéphane avait démarré sur les chapeaux de roue, nous avions été les premiers, avec David et Jules, moi par l'intermédiaire du docteur Nacier qui s'y était enrôlé, à cotiser. Mais ce n'était pas drôle tous les jours, me dit Stéphane, et il fallait avoir de bons nerfs : « En ce moment on a sur le dos une famille de Haïtiens qui ont tous le sida, le père, la mère et les enfants, tu vois un peu le tableau. » En quittant l'appartement je voulus regarder dans la bibliothèque les références d'un volume de Gogol, que je m'apprêtais à lire, et Stéphane, qui s'était rapproché dans mon dos pour voir ce que je fricotais, me dit : « Non, pas Gogol, mais si tu veux emporte tous les Tourgueniev, je ne les lirai pas. »

42

J'avais repris du service au journal. Eugénie me proposa de partir au Japon avec elle et son mari, Albert, sur le tournage du nouveau film de Kurosawa, c'était donc l'hiver 84 puisque mon livre sur les aveugles n'était pas encore sorti, et que nous nous étions étonnés, Anna et moi, sur un trottoir d'Asakusa, d'avoir l'un et l'autre entrepris ou envisagé un travail sur le même sujet, les aveugles. J'avais retrouvé Anna par hasard dans le hall de l'*Hôtel Imperial* à Tokyo, où Albert lui avait fixé rendez-vous. Nous nous battions froid. L'aventurière sortait, passablement sonnée, d'un voyage de trois semaines en transsibérien où, à travers la Russie et la Chine, elle n'avait fait que piller le caviar et la vodka d'un apparatchik de Vladivostok. Je l'avais intervie-wée avant son départ, pour illustrer l'article elle m'avait confié une photo d'elle à l'âge de sept ans prise par son père, un exemplaire unique auquel elle tenait, m'avait-elle dit, comme à la prunelle de son cœur. Je n'avais jamais rien perdu au journal en huit années d'exercice, et rien n'avait été volé, mais j'avais pris la précaution de recommander cette photo à la maquettiste, puis à la secrétaire qui établissait la liaison entre la rédaction et la maquette, et du coup, par ce soin excessif porté sur elle, la fameuse photo s'était égarée. Anna me l'avait réclamée de façon très désagréable, allant jusqu'à me menacer, alors que j'avais retourné sens dessus dessous les cinq étages du journal dans l'espoir de la retrouver. Elle m'avait dit : « Je me contrebalance de votre espoir, mais j'exige que vous me restituiez ma photo. » Elle avait poussé jusqu'à mon domicile, la veille de son départ, pour me houspiller. Je l'avais laissée sur le palier, lui refermant ma porte au nez pour ses indiscrétions notoires. Entre-temps la photo m'avait été restituée, par remords, par la personne qui avait dérobé l'album dans lequel, par malchance, la maquettiste avait glissé la photo pour mieux la protéger ; le voleur ou la voleuse, au bout d'un mois de récriminations publiques, avait simplement remis le livre avec la photo dans mon casier. J'appris cette bonne nouvelle à Anna, dès que je la revis dans le hall de l'*Hôtel Imperial* à Tokyo, et la chipie ne trouva rien de mieux à me dire que : « Vous l'avez échappé belle. » Je décidai de la snober, mais elle continua de se coller au petit groupe que nous formions avec Eugénie et Albert. Un soir à Asakusa, dans la ruelle centrale qui mène au Temple, entre les boutiques en tôle qui vendent des confiseries, des éventails, des peignes, des poinçons et des sceaux en pierres précieuses ou fausses, tandis qu'Eugénie et Albert s'attardaient dans un magasin de babouches, nous avions continué plus en avant avec Anna en direction de la pagode, jusqu'au chaudron de cuivre où les pèlerins venaient prélever les vapeurs de l'encens pour en frotter, comme un savon de fumée, leurs joues, leurs fronts, leurs cheveux. De chaque côté s'étendaient des comptoirs, avec de minuscules tiroirs que les fidèles tiraient au hasard pour y dénicher une papillote renfermant une prémonition illisible, qu'ils allaient porter à un des deux bonzes qui officiaient, symétriques à l'autel avec son Bouddha en or protégé par une plaque de verre, debout derrière des planches qui faisaient penser à des consignes de bagages, pour déchiffrer contre une offrande la prémonition codée. Si elle était bénéfique, le fidèle la jetait par une fente sous le verre aux pieds du Bouddha avec les yens qui favoriseraient sa réalisation. Si elle était maléfique, le croyant l'abandonnait aux intempéries en l'attachant à un fil de fer barbelé, à une poubelle ou à un arbre, afin que mise en pénitence elle se laisse dissoudre par les puissances infernales. C'est ainsi qu'à Kyoto nous avons trouvé autour des temples des arbres nus bruissants de papillotes blanches que nous avions pris de loin pour les traditionnels cerisiers en fleur. Nous venions d'entrer avec Anna dans le temple d'Asakusa ; soudain, plantée devant un tabernacle translucide en forme de pyramide où scintillaient des lueurs, Anna me tendit un minuscule cierge en me disant : « Vous ne voulez pas faire un vœu, Hervé ? » A la seconde un gong retentissait, la foule sortait avec précipitation, le Bouddha en or s'éteignait dans sa cage luminescente, une barre de fer s'encastrait en claquant pour souder les deux battants de l'entrée monumentale, nous n'avions pas eu le temps d'échapper à l'évidence que nous étions enfermés dans le temple. Un bonze nous fit sortir par une petite porte de derrière qui donnait sur une fête foraine. J'avais été interrompu dans la formulation de mon vœu, mais ce n'était que partie remise, et l'événement dans son étrangeté avait scellé notre amitié avec Anna. Nous partîmes donc pour Kyoto, où elle nous présenta Aki, un peintre revenu sur son lieu de naissance pour les soixante-dix ans de son père, qui nous guida dans la ville, et nous fit visiter le Pavillon d'Or. Des gens de Tokyo nous avaient recommandé de visiter le Temple de la Mousse, mais il fallait pour cela l'intronisation d'un autochtone, et retenir sa place sur une liste étroite qui donnait droit à une visite par mois. Le Temple de la Mousse se trouve à l'écart du centre, dans la campagne de Kyoto. C'était une matinée froide et ensoleillée, nous étions une dizaine à attendre devant les grilles qu'un bonze vienne nous chercher, vérifiant d'abord nos noms un par un avec nos papiers d'identité puis nous emmenant à un guichet où nous fûmes soigneusement délestés de nos fortunes. Après nous être déchaussés et avoir traversé en chaussettes une cour de graviers glacés, nous pénétrâmes dans une grande pièce tout aussi glaciale, encombrée d'un immense tambour à proximité d'un autel, une dizaine d'écritoires alignées à terre devant des coussinets, avec leurs pinceaux, leurs bâtonnets d'encre à délayer, leurs godets et, posés sur le pupitre, des parchemins où apparaissaient, en clair, des filigranes de signes complexes qui formaient, nous dit Aki, des mots même pour lui incompréhensibles qui finissaient par constituer, dans leur nombre et leur agencement, une prière, la prière rituelle et mystérieuse du Temple de la Mousse, que ses moines, en la rythmant de monotones coups frappés sur le tambour, nous obligeaient à prononcer intégralement et en silence, si l'on voulait avoir accès au miraculeux jardin des mousses et mériter la beauté de cette vision, en calligraphiant l'un après l'autre chacun des signes de la prière, la réinventant sans la comprendre à force de combler avec l'encre, le plus minutieusement possible, l'espace en creux des filigranes. Albert, le mari d'Eugénie, envoya voler son parchemin en tempêtant : ces bonzes étaient des brigands, ils nous avaient rançonnés, il faisait un froid à en crever, et il faudrait au moins deux heures, à raison de cinq bonnes minutes par signe, pour venir à bout de ce torchon qui, si ça se trouvait, n'était qu'un tissu de cochonneries, en plus on avait des crampes épouvantables et des fourmis dans les jambes à rester comme ça assis en tailleur, il quitta la salle et se fit refouler du jardin des mousses. Anna et moi, côte à côte, nous nous prîmes au jeu, rivalisant dans le soin à redessiner les signes, le plus délicatement et le plus exactement possible, sans faire de pâtés. Aki nous avait expliqué qu'on devait finalement, une fois qu'elle était achevée, inscrire son nom avec un vœu au-dessus de la prière, l'abandonner sur une presse devant l'autel, car l'œuvre des moines du Temple de la Mousse, c'est à cela que leur vie était dédiée, était de prier pour que les vœux déposés là par quelques rares inconnus se réalisent. Au bout de deux heures de labeur, dans une concentration extrême qui avait résolu les crampes et aplani le temps, j'étais sur le point de pouvoir faire mon vœu, mon vœu retardé, qui ne s'évaporerait plus en même temps que le cierge qui le portait. Mais j'avais peur, à cause de la curiosité d'Anna, qu'elle lise mon vœu, j'eus donc l'astuce de le coder, et je me penchai au-dessus de son épaule pour trahir le sien. Elle venait d'écrire : « La rue, le danger, l'aventure », puis elle avait rayé « le danger », et je ne voulais plus savoir par quoi elle l'avait remplacé. J'inscrivis mon vœu codé de survie, pour Jules et pour moi, et Anna me demanda aussitôt ce qu'il signifiait. Alors nous pûmes pénétrer dans l'incroyable jardin des mousses.

43

Je haïssais Marine. Elle avait tourné son film aux Etats-Unis, les journaux avaient colporté des rumeurs de mariage, puis de rupture et de retour. Un soir qu'Hector m'avait invité à dîner au restaurant du *Quai Voltaire*, après avoir déposé nos manteaux au vestiaire, le maître d'hôtel me fait signe de le suivre, je descends trois marches derrière lui et pénètre dans la salle où, sur-le-champ, je tombe sur Marine, attablée avec ses lunettes noires dans la niche du fond, en face d'un jeune homme, juste à côté de la table où le maître d'hôtel m'invite à prendre place, côté banquette, constatant en m'asseyant qu'une cloison me sépare de Marine, mais qu'un miroir équidistant sur le mur opposé permet de nous voir l'un l'autre, rien que l'un et l'autre. En retrouvant Marine, au bout de deux ans de silence et de trahison, dans ce restaurant, plusieurs pensées me traversent la tête, des hypothèses de conduite qui tournent aussi vite qu'une boule de machine à écrire électronique : en profiter pour aller lui filer une beigne, ce qui me démange terriblement, ou l'embrasser avec douceur, ce qui me démange tout autant, fuir immédiatement ou au contraire avoir la force de poursuivre calmement ma conversation avec Hector, comme si de rien n'était. Le bras de fer avec Marine dura plusieurs minutes. De la table voisine me parviennent les signes de la désagrégation. « Vous ne vous sentez pas bien ? » demande le jeune homme qui, à l'évidence, pourrait être mon double, un rêveur de cinéma, un apprenti metteur en scène qui se fait copieusement berner par la star. Il n'a pas eu de réponse, il recommence : « Vous partez bientôt en vacances ? » Soudain, dans un grand mouvement, on déplace la table d'à côté et, en quittant une seconde le regard d'Hector qui ne s'est aperçu de rien, je vois Marine détaler à toute vitesse du restaurant, suivie du jeune homme affolé qui trébuche dans une marche, glisse en s'excusant un billet de deux cents francs dans la main du maître d'hôtel et se débat dans le rideau qui protège la porte des courants d'air. Je me tourne vers la table d'à côté, avec ses serviettes chiffonnées, sa bouteille de vin à peine entamée, ils en étaient aux hors-d'œuvre, j'ai gagné la partie. Quelques mois plus tard, une nuit, la voix de Marine m'arrache vaguement à la torpeur de mes somnifères, elle me dit : « Je suis ressuscitée. » Malgré le Témesta j'ai la présence d'esprit de lui répliquer : « Alors il faut sonner les cloches ? » Elle rétorque quelque chose d'affectueux, du genre : « Mais non Hervé. » Je lui dis : « Tu m'as fait tant de mal. » Et elle : « Ce n'était rien en regard du mal que j'ai pu faire à Richard. » Je raccroche sur ces mots hallucinants. Au réveil, en me souvenant que je lui ai dit auparavant : « Je t'embrasse, Marine », j'ai l'impression d'une absolution d'outre-tombe. Dans l'après-midi un livreur de chez Dalloyau dépose chez moi deux cloches en chocolat, une très grosse et une toute petite, sans un mot d'accompagnement, on vient de passer Pâques. Quelques mois plus tard, encore, alors que je devais déjeuner avec Henri à *Village Voice*, j'ai un peu d'avance, seul dans le restaurant je me suis installé à une table en lisant. Henri arrive, il n'a pas encore pris place que fonce dans son dos, sortant en trombe du fond du restaurant d'où je n'avais pas perçu sa présence, Marine avec ses lunettes noires, d'immenses cheveux de poupée Barbie jusqu'au bas des reins, suivie comme son ombre par Richard, tous les deux dans un état d'agitation inouï. A leur vue mon sang se vide à la seconde de mon corps comme d'une éprouvette, de haut en bas, je suis glacé, blême, Henri inquiet me demande ce qui m'arrive. L'apparition de Marine m'a fait un effet atroce, comme si j'avais vu un fantôme, une revenante. De retour chez moi je prends la plume pour écrire à Marine que je viens de voir, en fait, le fantôme de l'amour que j'avais eu pour elle, et aussi le fantôme de notre amitié de jeunesse, qu'elle avait massacrée à coups de caprices. J'ai à peine terminé la lettre que le téléphone sonne, c'est Jules, il me dit : « Tu es au courant de ce qui arrive à Marine ? Il paraît qu'elle a une leucémie, que tous ses cheveux sont tombés, qu'elle suit une chimiothérapie très dure... » Il y avait plusieurs fois le mot sang dans ma lettre. Je pourrais prendre le coup de téléphone de Jules comme un signe du destin qui m'empêcherait d'envoyer la lettre, mais mon ressentiment à l'encontre de Marine est tel que, par pure méchanceté, je descends immédiatement lui poster cette lettre validée par la rumeur, j'aurai beau jeu ensuite de prétendre que le coup de fil de Jules était survenu juste après. Mais le lendemain je nageais dans mon remords, et m'en soulageai en envoyant à Marine une seconde lettre qui avait l'air d'effacer la précédente.

44

Les bruits qui courent sur Marine ont empiré, et arrivent de toutes parts : maintenant elle a le sida, c'est mon masseur qui me l'a appris, il le tient de son chef de clinique. Un jour un informateur colporte qu'elle l'a attrapé en se piquant avec son frère, qui est un petit junkie, le lendemain une autre source d'information assure qu'elle a été contaminée lors d'une transfusion de sang, un troisième écho le lui refilera par son amerloque à la noix, qui est un partouzeur bisexuel de première, et cetera. Le sida de Marine, qui, je dois l'avouer maintenant, m'a fait plaisir, non en tant que rumeur mais en tant que vérité, et non tant par sadisme que par ce fantasme que nous étions définitivement ligués, nous que certains avaient dits frère et sœur, par un sort commun, finit par infiltrer les journaux, la radio annonça qu'elle avait été hospitalisée à Marseille, une dépêche de l'AFP fit tomber sa mort sur les téléscripteurs de toutes les rédactions. Je voyais Marine à bout de souffle, traquée, fuyant jusqu'à Marseille pour prendre un bateau à destination de l'Algérie, où son père était né, et se faire enterrer comme lui, selon les lois musulmanes, dans trois draps à même la terre. Je revoyais ses longs cheveux factices de poupée Barbie. Je revoyais ses poignets bandés à l'hôpital américain, où l'on venait de lui faire une transfusion. Et je n'avais jamais tant aimé Marine. Elle ne tarda pas, épaulée par son avocat, à intervenir au journal télévisé de 20 heures pour couper court à la rumeur, affirmer, un témoignage médical à l'appui, qu'elle n'était pas malade, mais qu'en même temps elle était navrée de trahir le camp des malades, et de devoir s'afficher comme ça dans celui des bien-portants. Je n'ai pas vu Marine à la télévision ce soir-là, on avait été prévenu par les quotidiens de sa prestation, et par avance, en ce qu'elle démentait, elle me décevait profondément. Bill, qui la regarda, me dit qu'elle avait l'air d'une folle, bonne à interner sur-le-champ. Le farouche Matou, qui n'est pas du genre à tresser des lauriers, me dit au contraire que cette apparition de Marine au journal de 20 heures avait été pour lui l'événement télévisé le plus intense de sa vie. Petit à petit, moi malade sans qu'elle le sache et elle sans doute en bonne santé pour de vrai, à distance, lentement je me rééduquais dans mon sentiment pour Marine, quoiqu'elle tournât d'autres films que ceux que j'aurais aimé lui voir tourner, et que de son côté, j'en suis sûr, elle lût de moi d'autres livres que ceux qu'elle aurait aimé que j'écrivisse.

45

Stéphane se donna à corps perdu dans l'association qu'il avait fondée et trouva là, il faut bien le dire, un sens complet à sa vie à la mort de Muzil, et à travers sa disparition ou au-delà, le moyen de réaliser pleinement ses forces morales, intellectuelles et politiques qui jusque-là, dans son ombre et dans son complexe, végétaient et tournaient court dans un désœuvrement névrotique comblé d'interminables coups de téléphone qui horripilaient Muzil, d'articles en cours jamais achevés, le tout dans un fouillis indescriptible. Le sida devint la raison sociale de nombreuses personnes, leur espoir de positionnement et de reconnaissance publique, spécialement pour des médecins qui tentèrent par-delà de se hisser au-dessus du train-train de leurs cabinets. Le docteur Nacier, qui s'était donc joint à l'association de Stéphane, y enrôla son compère Max, qui était pour moi un ex-collègue du journal, et dont Muzil disait qu'il ressemblait « à l'intérieur d'une châtaigne ». Le docteur Nacier avec Max formait un sacré couple, ce que certains appellent une association de malfaiteurs. Je pense que Stéphane tomba amoureux du couple, spécialement de l'intérieur de la châtaigne, Max et le docteur Nacier devinrent ses bras droits. En même temps Stéphane leur serinait la même ritournelle : « Je ne vais pas tarder à vous passer la main, j'ai mis les choses en place maintenant j'ai d'autres chats à fouetter, ça m'ennuie d'aller causer à la télévision je vous en prie allez-y pour moi... » De fait Stéphane inventa la trahison de Max et du docteur Nacier comme ces vieilles personnes prennent un plaisir malsain à inventer la cupidité de leurs héritiers, en leur faisant miroiter des choses fabuleuses, telle rivière de diamants ou tel vaisselier exceptionnels pour les léguer à la dernière minute à leur masseur ou à leur éboueur. Comme je fréquentais à la fois, à l'époque, Stéphane et le docteur Nacier, il m'amusa d'entendre vite le premier me dire : « J'ai l'impression qu'ils ont les dents longues, et une avidité à paraître », et le second : « Nous avons deux fléaux à combattre, le sida et Stéphane. » Avec David, c'était la seule ironie que nous nous permettions sur le dos de Muzil qui se fût sans doute frotté les mains de notre machiavélisme, nous prenions soin de rapporter à Stéphane toutes les tentatives de dégommage et de putsch qu'ourdissait avec Max le docteur Nacier, qui me les confiait en toute innocence. Ainsi Stéphane put-il préparer un vote destiné à blackbouler le couple ambitieux. Max lui écrivit une lettre fatale où il disait à Stéphane qu'il donnait « une image trop homosexuelle de l'association ». Quelques mois après l'avoir échaudé, en même temps blessé à mort à cause de l'intérieur de la châtaigne, Stéphane rencontré dans la rue me lança : « Ne me dis pas que Nacier est toujours ton médecin, ça me ferait trop de peine ! » Je ne lui avouai pas le nom de mon nouveau médecin, qui était aussi un de ses acolytes. David me dit que Stéphane se pendrait sans doute de désespoir le jour où l'on trouverait un remède contre le sida. Je revis un ancien ami psychiatre, qui travaillait dans son association, et qui avait trouvé un bon truc, m'expliqua-t-il, pour parler aux malades du sida, il leur disait : « N'allez pas me faire croire que vous n'avez pas espéré la mort à un moment ou à un autre parmi ceux qui ont précédé votre maladie ! Les facteurs psychiques sont déterminants dans le déclenchement du sida. Vous avez voulu la mort, eh bien la voici. »

46

Muzil, les derniers temps qui ont précédé sa mort, avait tenu, discrètement, sans cassure, à prendre quelques distances avec l'être qu'il aimait, au point qu'il a eu le formidable réflexe, la trouvaille inconsciente d'épargner cet être à un moment où presque tout de son propre être, son sperme, sa salive, ses larmes, sa sueur, on ne le savait pas trop à l'époque, était devenu hautement contaminant, ça je l'ai appris récemment par Stéphane qui a tenu à m'annoncer, peut-être mensongèrement, qu'il n'était pas lui-même séropositif, qu'il avait échappé au péril alors qu'il s'était vanté, peu après m'avoir révélé la nature de la maladie de Muzil qu'il avait ignorée jusque-là, de s'être faufilé à l'hôpital dans le lit de l'agonisant, et de l'avoir réchauffé avec sa bouche en différents points de son corps, qui était du vrai poison. Cette prouesse de Muzil, je ne suis pas parvenu à la réitérer avec Jules, ou Jules n'y est pas parvenu avec moi, et nous n'y sommes pas parvenus conjointement avec Berthe, mais j'ai encore parfois l'espoir que les enfants, au moins l'un d'entre eux, a été ou ont été épargnés.

47

En consultant mon agenda 1987, c'est au 21 décembre que je daterai la découverte sous ma langue, dans le miroir de la salle de bains, là où mécaniquement j'avais pris l'habitude de l'inspecter en calquant mon regard sur celui du docteur Chandi lors de mes visites, sans connaître la teneur ni l'apparence de ce qu'il y recherchait, mais persuadé par cet examen répété qu'il guettait l'apparition prévisible de cette chose inconnue pour moi, de petits filaments blanchâtres, papillomes sans épaisseur, striés comme des alluvions sur le tégument de la langue. Mon regard s'effondra à la seconde, de même que s'effondra pour un 125e de seconde, transpercé et flashé par le mien comme un coupable traqué par un détective, le regard du docteur Chandi lorsque je lui montrai ma langue, dès le lendemain, à sa consultation du mardi matin. Devant le signe catastrophique le docteur Chandi est trop jeune pour savoir mentir, comme ces vieux renards de docteurs Lévy, Nocourt ou Aron, son regard n'est pas exercé à s'opacifier au moment venu, à ne ciller en rien, il conserve vis-à-vis de la vérité une transparence d'un 125e de seconde, comme le diaphragme photographique s'entrouvre pour absorber la lumière, avant de se refermer pour maturer sa conserve. Je devais déjeuner avec Eugénie ce jour-là, je lui mentis par omission, soudain absent de toute présence et de toute amitié, entièrement requis par mon souci. J'avais passé la veille la soirée avec Grégoire, et, avant la confirmation du docteur Chandi, c'était à moi-même que j'avais menti, attendant encore un peu pour être pris d'une répulsion formidable à l'égard du seul organe sensuel auquel Grégoire permettait parfois une communication érotique. Et à Jules absent de Paris, je mentis de même, dans un tout premier temps, par ce réflexe de l'omission. Le docteur Chandi ne proférait pas un verdict, d'autant plus qu'il était prévenu de la réalité de ma maladie par ce zona qui s'était déclenché huit mois plus tôt, alors que je n'étais pas encore son patient. Simplement il devait m'entraîner, avec la plus grande douceur possible, tout en me laissant libre comme l'avait dit Muzil de savoir ou de me leurrer, vers un nouveau palier de la conscience de ma maladie. A toutes petites touches très subtiles, par sondes du regard qui devait tout à coup freiner ou reculer devant les cillements de l'autre, il m'interrogeait sur ces degrés de conscience et d'inconscience, faisant varier de quelques millièmes de millimètres l'oscillomètre de mon angoisse. Il disait : « Non, je n'ai pas dit que c'était un signe décisif, mais je vous mentirais en vous cachant que c'est un signe statistique. » Si, un quart d'heure plus tard, je lui demandais avec panique : « Alors c'est un signe tout à fait décisif ? », il répondait : « Non, je ne dirais pas cela, mais c'est toutefois un signe assez déterminant. » Il me prescrivit un gras liquide jaune écœurant, le Fongylone, dans lequel je devais faire macérer la langue soir et matin pendant vingt jours, j'en emportai à Rome une dizaine de flacons que

137

j'avais dissimulés, d'abord dans mon bagage, puis, derrière d'autres produits, sur les rayons de l'armoire de toilette de la salle de bains et sur les étagères de la cuisine, où je me cachais donc matin et soir avec humiliation et au bord de la nausée pour ingérer le produit à l'insu de Jules et Berthe, qui m'avaient rejoint à Rome. Nous vivions ensemble, Jules et Berthe couchaient dans le grand lit de la mezzanine, moi dans le petit lit du bas. J'avais prévenu Jules au téléphone, le jour de Noël, de ce qui m'arrivait, et, fatalement, de ce qui nous arrivait, et nous avions décidé de ne pas en parler à Berthe pour ne pas lui gâcher ses vacances. Jules, l'air de rien, tirait des plans sur la comète, et mêlait Berthe, qui en ignorait la cause, à ses rêveries : qu'il fallait nous mettre au vert ces prochaines années, que Berthe devait demander à être détachée de son poste à l'Education nationale, au moins pour une année sabbatique, sous-entendant que nous ne devions pas gaspiller ces quelques années désormais comptées qu'il nous restait à vivre. J'écrivais de mon côté mon livre condamné, et j'y relatais justement le temps de notre jeunesse, celui où nous nous étions rencontrés, Jules, Berthe et moi, et aimés. J'avais entrepris de rédiger l'éloge de Berthe, dans les termes où Muzil avant sa mort avait songé sincèrement ou en blaguant à écrire mon éloge, et je tremblais chaque jour de peur que Berthe ne mette son nez dans ce manuscrit que je laissais en confiance sur le bureau.

48

Le 31 décembre 87 à minuit, Berthe, Jules et moi, au bar de *L'Alibi*, nous nous embrassâmes en nous regardant dans les yeux. Il est étrange de fêter la bonne année à quelqu'un dont on sait qu'il risque de ne pas la passer entièrement, il n'y a guère de situation plus limite que celle-ci, pour l'assumer il faut une bravoure réduite au naturel, la franchise ambiguë de ce qui n'est pas dit, une complicité dans l'arrière-pensée, colmatée sous un sourire, conjurée dans un rire, en cet instant le vœu vibre d'une solennité cruciale, mais allégée. J'avais passé le précédent réveillon dans le village sur l'île d'Elbe, en compagnie du curé qu'on savait condamné par un cancer des lymphes, un lymphome que le docteur Nacier m'a décrété sans ambages avoir été un sida mal soigné, traité aux rayons X, soit pour sauver l'honneur d'un curé en faisant passer son sida pour un cancer au risque de dommages physiques, soit par incurie du système hospitalier en Italie. Le curé était rentré d'un long et très pénible traitement à Florence pour redire la messe une dernière fois dans son village. Je ne l'avais pas revu depuis des mois, j'étais accompagné de ce jeune garçon prénommé le Poète, qui nous assommait, Gustave et moi, par ses alternances hystériques de silence et de fou rire. Le soir du réveillon Gustave avait tenu à assister à cette ultime messe du curé, il comptait ensuite le ramener à la maison en voiture, prédisant qu'il n'aurait plus la force de gravir les nombreuses marches et ruelles grimpantes qui mènent au « buccino », littéralement le trou du cul du village, sa partie la plus pauvre aussi, où nous résidons. Le Poète était affalé sur le canapé du salon, reproduisant fortuitement ou inconsciemment la pose un peu lascive du modèle d'un tableau du XIXe siècle qui se trouve au Musée des Beaux-Arts de Bruxelles et dont le docteur Nacier nous avait apporté une reproduction en noir et blanc dans une ancienne presse à photo, posée ce soir-là sur un guéridon à côté du canapé, bord à bord avec une édition française de *L'enfer* de Dante. Cette coïncidence me donna l'idée de mettre en scène un simulacre, d'un goût pas très fameux selon Gustave étant donné l'état du curé : quand il arriverait dans la maison, il surprendrait le Poète dans son plus simple appareil, mimant point pour point la pose du modèle. Ni les uns ni les autres nous ne devrions faire la moindre allusion à cet état de nudité, le Poète devrait participer à notre soirée le plus naturellement possible, et cette idée déconnante l'enchantait. J'avais secrètement l'intention, par ce biais, de faire une offrande sublime au curé, qui ne nous avait pas longtemps caché ses attirances pour les jeunes garçons. Physiquement le Poète représentait un curieux mélange, une greffe presque diabolique de plusieurs types de fantasmes : il avait le visage d'un garçonnet, le torse d'un adolescent, et le sexe massif d'un paysan. Gustave prit la voiture pour descendre au village et se rendre à l'église, où ce qu'il vit l'épouvanta : le curé n'arrivait même plus à soulever le ciboire, les enfants de chœur devaient le porter par-dessous ses mains. Gustave se dit aussitôt que notre jeu était en fait d'un goût putride, et ressortit de l'église chercher une cabine téléphonique pour nous donner l'ordre de l'interrompre. Pendant ce temps le Poète, étendu nu sur le canapé, avait des soubresauts de fou rire qui électrisaient son corps, par convulsions, il avait envie de pisser, je l'en empêchai, pris son sexe dans ma bouche pour le soulager. Les cabines téléphoniques ne fonctionnaient pas ou n'étaient pas libres, et Gustave s'aperçut qu'il n'avait pas de jeton quand il se retrouva dans l'unique cabine en état de marche, l'épicerie où on les achetait était fermée, il était grand temps de retourner à l'église. Quand le curé ouvrit la porte de la maison, il aperçut en haut des marches, exactement dans le champ de vision de son premier coup d'œil, encadré par les montants de la porte, le Poète nu assis sur le canapé, qui se leva pour lui serrer la main, avec civilité, un peu froidement. Je guettais de biais les réactions du curé, auquel il était donné, pour la première fois sans doute de toute sa carrière ecclésiastique, d'avoir une véritable vision : il était ébloui, à la fois mortifié et réchauffé par son éblouissement, prêt à se prosterner. Pour se donner une contenance, il saisit sur le guéridon l'exemplaire de L'Enfer de Dante, sur la couverture duquel était dessinée une dégringolade en chute libre d'anges traîtres et déchus, et il prononça cette phrase : « Le diable n'existe pas, c'est une pure invention des hommes. » Il nous proposa de l'accompagner au presbytère pour sabler le champagne et échanger nos vœux. Sa vieille petite mère toute fripée, qui lui servait de gouvernante et qu'il appelait sa croix, nous apporta le « panetone », la brioche rituelle. Nous nous souhaitâmes la bonne année, les yeux du curé étaient pleins de reconnaissance à mon endroit, et moi j'avais honte. Il avait préparé des fusées, des feux d'artifice que nous dégoupillâmes en courant tout autour de l'église, noyant la place dans un nuage gris et rougeoyant, lourd et étale, de poudrière.

49

A mon retour à Paris, force me fut de constater que le
traitement au Fongylone, que j'avais suivi sans relâche vingt
et un jours durant pour mon humiliation, me cachant dans
le cabinet de toilette pour faire macérer ma langue à l'insu
des autres dans cette grasse potion jaunâtre qui tachait tout
et me donnait à jeun la nausée, n'était pas parvenu à
débarrasser de ses papillomes blancs ma langue, que je me
mis à haïr comme instrument sensuel, bien que le docteur
Chandi m'ait précisé que ce champignon ne pouvait en
aucun cas se transmettre par aucun contact érotique, et il
me prescrivit un autre produit, du Daktarin, celui-là blanc,
presque grumeleux, qui engluait la bouche d'une colle au
goût métallique, et ne réussit pas à son tour, malgré vingt et
un autres jours de traitement, à dégommer ce champignon
de ma langue, à laquelle je renonçai de faire jouer un rôle
sensuel, limitant encore les rares relations physiques que je
continuais d'entretenir avec deux personnes, dont l'une était
prévenue et l'autre pas. Nous avions décidé avec Jules de
faire enfin ce fameux test de séropositivité, dont j'avais
accumulé ces dernières années tant d'ordonnances prescrites par le docteur Nacier sans jamais me résoudre à m'y

soumettre. Au mois de janvier 1988, Jules était persuadé, avait besoin de se persuader que nous étions l'un et l'autre séronégatifs, et que ce docteur Chandi était un fou furieux qui, par incompétence, inquiétait à tort ses patients. C'est pourquoi il souhaitait que nous fassions, surtout moi avec mon caractère, le test : pour m'apaiser. De même David, qui n'avait jamais voulu croire à mes maux, me dit en ricanant que je serais bien emmerdé de me rendre à l'évidence que j'étais séronégatif, étant donné la misère de mes expériences sexuelles, et que je serais contraint alors de me suicider, par désespoir de n'être pas séropositif. Le docteur Chandi, consulté par moi au téléphone à propos de cette décision, tint à nous rencontrer l'un et l'autre avant que nous fassions le test. Ce fut une entrevue décisive, sinon déterminante ! Ces deux mots revinrent sur le tapis, le docteur Chandi dut en rejouer à cause de l'attitude de Jules, qui accueillait avec agressivité l'imminence d'une vérité qui devait, quand même, nous projeter dans un autre monde et, pour ainsi dire, dans une autre vie. Le docteur Chandi comprit qu'il pouvait faire l'économie d'un exposé sur les moyens de protection qui seuls pourraient endiguer l'épidémie, nous en usions l'un avec l'autre et l'un sans l'autre, depuis des années. Il passa plutôt en revue toutes les éventualités : l'un est séropositif mais l'autre séronégatif, les deux sont séropositifs, et comment réagir devant l'un ou l'autre de ces cas de figures, dont il était mensonger de nous faire croire qu'ils n'étaient pas si limités que ça. Nous évoquâmes le problème de l'anonymat, qui nous semblait à l'un et à l'autre absolument nécessaire, à la fois pour nos relations professionnelles et nos relations amicales. En Bavière ou en Union soviétique, on parlait de tests de contrôle obligatoires, aux frontières et pour les tranches « à risques » de la population, plébiscités également par le conseiller médical de Le Pen. Je dis au docteur Chandi qu'en raison de mes incessantes allées et venues entre l'Italie et la France je devais avant tout préserver ma liberté à passer cette frontière. Il nous conseilla de faire le test anonyme et gratuit organisé par Médecins du monde, tous les samedis matin, non loin de la statue de Jeanne d'Arc qui s'élève sur le boulevard Saint-Marcel, à l'angle d'une petite rue, la rue du Jura, devant laquelle, des mois après, je ne pouvais plus passer, sur le trajet de l'autobus 91 que j'empruntais pour me rendre à mes dîners avec David, sans ressentir aussitôt un frisson intolérable. Le samedi matin de janvier où nous nous y sommes rendus, Jules et moi, nous fîmes la queue parmi une grande quantité d'Africains et d'Africaines, dans une population très mélangée, de tous les âges, de prostituées, d'homosexuels, et de gens atypiques. La file d'attente s'étalait le long du trottoir jusqu'au boulevard Saint-Marcel car elle englobait ceux qui venaient chercher leurs résultats de la semaine passée. Parmi eux se trouvait un jeune garçon que nous vîmes ressortir, après nos prises de sang qui, à mon grand étonnement, avaient été faites sans gant ni précaution particulière, totalement désemparé, comme si la terre s'était littéralement ouverte sous ses pas sur ce trottoir du boulevard Saint-Marcel et que le monde avait basculé en un éclair autour de lui, ne sachant plus ni où aller ni que faire de son existence, les jambes coupées par la nouvelle inscrite sur son visage soudain levé au ciel, où n'apparaissait aucune réponse. C'était pour Jules et pour moi une vision terrifiante, qui nous projetait une semaine en avant, et nous soulageait en même temps par ce qu'elle avait de plus insupportable, comme si nous le vivions au même moment, de façon précipitée, par procuration, un exorcisme à peu de frais dont ce pauvre bougre était la victime. Prévoyant que nos résultats seraient mauvais, et souhaitant hâter le processus à cause de l'échéance de mon retour à Rome, le docteur Chandi nous avait envoyés à l'institut Alfred-Fournier faire les analyses de sang complémentaires au test, spécifiques à l'avancée du virus HIV dans le corps. Dans cet institut qui avait connu sa renommée à l'époque de la syphilis, on mettait des gants en caoutchouc pour faire les prises de sang, et on vous demandait de jeter vous-même dans un sac poubelle le coton taché de sang que vous aviez pressé sur la pliure du bras. Jules, qui s'était engagé à faire au même moment les mêmes examens que moi, avait dû reporter celui-ci, rageur, parce qu'il n'avait pas suivi la recommandation d'être à jeun. Il attendit que j'en aie fini de mon côté. L'infirmière me demanda, en détaillant mon ordonnance : « Ça fait combien de temps que vous savez que vous êtes séropositif ? » J'étais tellement surpris que j'étais incapable de lui répondre. Les résultats d'analyse devaient nous parvenir sous une dizaine de jours, avant le résultat du test, dans cet intervalle précis d'incertitude ou de feinte incertitude, et ne pouvant pas les recevoir chez moi, d'où le courrier était systématiquement réexpédié sur Rome, j'avais donné l'adresse de Jules comme étant la mienne, et il garda sous le coude mes analyses qu'il avait dépouillées et interprétées jusqu'au matin de la lecture du test. C'est dans le taxi avec lequel j'étais passé le prendre à son domicile, qui nous conduisait rue du Jura dans l'officine de Médecins du monde, qu'il m'annonça que nos analyses étaient mauvaises, qu'on y décelait déjà le signe fatal sans

146

connaître le résultat du test. A ce moment je compris que le malheur était tombé sur nous, que nous inaugurions une ère active du malheur, de laquelle nous n'étions pas près de nous sortir. J'étais comme ce pauvre diable échaudé par son résultat, apparemment debout, mais terrassé sur ce morceau de trottoir qui n'en finissait plus de se fissurer autour de lui. Je ressentis une immense pitié pour nous-mêmes. Ce qui me faisait le plus peur, c'est que je savais que, malgré tout ce qu'il disait pour me préparer à la condamnation, Jules avait encore un espoir que nos tests, ou peut-être le sien, se révèlent négatifs. Nous avions chacun dans la poche un carton avec un numéro, auquel nous avions refusé de prêter, une semaine durant, aucune superstition bonne ou mauvaise. Un médecin devait ouvrir l'enveloppe qui portait ce numéro, et dans laquelle le verdict était inscrit, il avait la charge de la répercuter en usant de certaines recettes psychologiques. Une enquête publiée par un quotidien nous apprit que 10 % environ des personnes qui faisaient le test dans ce centre étaient séropositives, mais que ce chiffre n'était pas symptomatique pour l'ensemble de la population, vu que ce centre ciblait précisément ses franges dites à risques. Le médecin qui m'annonça mon résultat m'était antipathique, et j'accueillis bien sûr froidement la nouvelle, pour en finir au plus vite avec cet homme qui faisait son travail à la chaîne, trente secondes et un sourire et un prospectus pour les séronégatifs, de cinq à quinze minutes d'entretien « personnalisé » pour les séropositifs, s'enquérait de ma solitude, me gavait de publicités pour la nouvelle association du docteur Nacier et me conseillait, pour amortir le choc, de revenir une semaine après, le temps qu'on fasse un contre-test qui peut-être, il y avait une chance sur cent disait-il, contredirait le premier. Mais ce qui se passa dans la cabine où Jules était entré, je l'ignore, et de fait je n'ai pas voulu le savoir, mais j'étais ressorti de la mienne et je vis que la présence de Jules dans cette cabine dont je fixais la porte qui s'ouvrit et se referma plusieurs fois sur des passages précipités causait un grand affolement dans le centre, que l'hôtesse réclamait un second médecin, puis qu'elle réclama une assistante sociale. Je pense que Jules, lui apparemment si fort, s'évanouit en entendant dire par un étranger ce qu'il savait déjà, que cette certitude en devenant officielle, même si elle restait anonyme, était devenue intolérable. C'était sans doute cela qui était le plus dur à supporter dans cette nouvelle ère du malheur qui nous tendait ses bras, c'était de sentir son ami, son frère, si démuni par ce qui lui arrivait, c'était physiquement dégueulasse. J'accompagnai Jules dans la boutique d'artifices Ruggieri, boulevard du Montparnasse, où il devait acheter en vue du carnaval des cotillons et des pétards pour ses enfants.

50

En l'espace d'une semaine, les choses avaient eu le temps de profondément changer, car en sortant la première fois du centre de la rue du Jura où nous venions, Jules et moi, de faire le test, j'avais été contraint à l'honnêteté d'une pensée inavouable : que je tirais une sorte de jubilation de la souffrance et de la dureté de notre expérience, mais cela je ne pouvais pas le partager avec Jules, il eût été obscène de vouloir le torturer dans cette complicité. Depuis que j'ai douze ans, et depuis qu'elle est une terreur, la mort est une marotte. J'en ignorais l'existence jusqu'à ce qu'un camarade de classe, le petit Bonnecarère, m'envoyât au cinéma le Styx, où l'on s'asseyait à l'époque dans des cercueils, voir *L'enterré vivant*, un film de Roger Corman tiré d'un conte d'Edgar Allan Poe. La découverte de la mort par le truchement de cette vision horrifique d'un homme qui hurle d'impuissance à l'intérieur de son cercueil devint une source capiteuse de cauchemars. Par la suite, je ne cessai de rechercher les attributs les plus spectaculaires de la mort, suppliant mon père de me céder le crâne qui avait accompagné ses études de médecine, m'hypnotisant de films d'épouvante et commençant à écrire, sous le pseudonyme d'Hector

Lenoir, un conte qui racontait les affres d'un fantôme enchaîné dans les oubliettes du château des Hohenzollern, me grisant de lectures macabres jusqu'aux stories sélectionnées par Hitchcock, errant dans les cimetières et étrennant mon premier appareil avec des photographies de tombes d'enfants, me déplaçant jusqu'à Palerme uniquement pour contempler les momies des Capucins, collectionnant les rapaces empaillés comme Anthony Perkins dans *Psychose*, la mort me semblait horriblement belle, féeriquement atroce, et puis je pris en grippe son bric-à-brac, remisai le crâne de l'étudiant de médecine, fuis les cimetières comme la peste, j'étais passé à un autre stade de l'amour de la mort, comme imprégné par elle au plus profond je n'avais plus besoin de son décorum mais d'une intimité plus grande avec elle, je continuais inlassablement de quérir son sentiment, le plus précieux et le plus haïssable d'entre tous, sa peur et sa convoitise.

51

Dans la semaine qui suivit la confirmation de ma séropositivité et la lecture par le docteur Chandi d'examens sanguins qui n'étaient pas vraiment alarmants, mais décelaient une détérioration par le virus HIV de mes quotas globulaires et plus spécifiquement lymphocytaires, je fis tout au plus pressé, et de la façon la plus ordonnée : j'achevai la mise au point d'un manuscrit qui était en chantier depuis des mois et l'apportai à l'éditeur après l'avoir fait relire par David, rappelai un certain nombre de connaissances plus ou moins perdues de vue que j'avais soudain la fringale de revoir, déposai les cinq cahiers du journal que je tiens depuis 1978 dans le coffre-fort de Jules, fis le cadeau d'une lampe et d'un manuscrit directement aux personnes à qui j'avais pensé les léguer par testament, liquidai à la banque le 27 janvier un plan d'épargne-logement qui devenait aberrant et me renseignai sur la possibilité d'un compte commun soit avec Jules soit avec Berthe, consultai le 28 janvier le conseiller juridique de ma maison d'édition à propos des droits de succession et de l'exercice du droit moral que je comptais confier à David, rencontrai le 29 janvier un inspecteur des impôts pour clarifier ma situation fiscale, redînai pour la première fois depuis très longtemps, le 31, avec Stéphane, devenu spécialiste en la matière, qui me fournit en nouvelles alarmantes et pathétiques sur les malades du sida, et revis le lendemain, également pour la première fois depuis fort longtemps, le docteur Nacier, l'autre spécialiste du sida antagoniste de Stéphane, je profitai d'un déjeuner, au cours duquel je m'exerçai à parler en fermant la bouche de crainte qu'il ne détecte cette leucoplasie bien entendu invisible puisque placée sous la langue, ayant peut-être par là le désir inconscient de lui mettre la puce à l'oreille, pour lui soutirer au compte-gouttes les informations les plus ignobles sur les conditions de mort des malades du sida. J'avais reconsulté entre-temps le docteur Chandi, à qui j'avais confié ma volonté expresse de mourir « à l'abri du regard de mes parents », et devant lequel, en évoquant le coma dans lequel était tombé Fichart, l'ami de Bill, je repris les mots de l'unique testament autographe de Muzil : « la mort, pas l'invalidité ». Pas de coma prolongé, pas de démence, pas de cécité, la suppression pure et simple au moment adéquat. Mais le docteur Chandi se refusait à prendre en note quoi que ce soit de définitif, se bornant à indiquer que le rapport à la maladie ne cessait de se transformer, pour chaque individu, dans le cours de sa maladie, et qu'on ne pouvait préjuger des mutations vitales de sa volonté.

52

Jules, de son côté, vécut on ne peut plus mal la transition entre la zone vague et lénifiante de semi-inconscience et la période de pleine conscience qui lui succédait brutalement. Il se révoltait, non contre le sort mais contre l'agent qui, croyait-il, l'avait contraint à se projeter dans cette inutile lucidité, à savoir le docteur Chandi, qu'il refusait de revoir pour faire interpréter ses analyses, et qu'il ne manquait jamais, alors que je n'avais que des louanges à son endroit, les raillant, de traiter de tous les noms. Quand je sortais requinqué d'une visite chez le docteur Chandi, Jules prenait un malin plaisir à me dire : « Evidemment, après t'avoir fait sombrer dans l'angoisse, il ne pouvait pas faire autre chose que te rassurer. » Quand le docteur Chandi, au contraire, m'avait inquiété au sujet de tel ou tel symptôme que je rattachais immédiatement au virus mortel, Jules persiflait : « De toute façon cette folle moustachue est complètement piquée ! » Le docteur Chandi avait ressenti ce mépris venimeux, quand j'insistai pour qu'il revoie Jules il me dit : « Vous savez, il y a bien d'autres médecins spécialistes de cette maladie, je ne suis pas le seul sur la place de Paris. » Je dis au docteur Chandi qu'il fallait dépasser le côté acidulé de Jules pour trouver le garçon charmant qu'il était, le mot acidulé que je préférais à épineux fit sourire le docteur Chandi. Je fus aidé par une circonstance dans mes tentatives de recollage entre Jules et Chandi. Je parlais plusieurs fois par jour avec Jules au téléphone, un soir de détresse j'avais hésité à l'appeler pour ne pas sabrer son moral mais lui m'appela pour me dire qu'il était obsédé par la nouvelle, en raccrochant j'avais envie de pleurer, les larmes ne sortaient pas, j'ai avalé mon somnifère. Jules avait pris une décision catégorique quant à ses activités professionnelles pour préserver le temps qu'il pouvait consacrer à ses enfants, et il relisait pour la dixième fois chacun des paragraphes de la police d'assurance sur la vie qu'il avait contractée exactement six ans plus tôt, le temps de l'incubation du virus. Le lendemain de ce soir de détresse où les larmes m'avaient refusé leur douceur, Jules me dit au téléphone qu'il avait bien réfléchi, et que faire faire le test à Berthe serait un suicide, qu'il fallait par tous les moyens, lui et moi, l'empêcher de faire ce test ; en évoquant le destin soudain affreusement soudé de ses deux enfants, de Berthe, lui et moi, il nous surnomma le Club des 5. Le surlendemain j'étais passé dîner chez eux, mal fichue Berthe était dans son lit avec un livre et un peu de fièvre, j'étais monté la voir, elle m'avait souri très doucement : chacun savait que l'autre savait mais nous n'en parlions pas. Berthe, depuis longtemps déjà, était la personne que j'admirais le plus au monde. Le dimanche matin sa fièvre avait grimpé, et il était impossible de joindre un médecin, Jules fit appel à moi avec panique, je cherchai dans le bottin le numéro de téléphone personnel du docteur Chandi en faisant un recoupement pour le choix du quartier avec un élément d'une de nos conversations privées. Moi qui m'étais senti si à plat et si démuni ces derniers jours, le mal de l'autre me donnait un coup de cravache, c'était classique : je récupérai une vaillance capable de porter secours. Dans l'heure le docteur Chandi se déplaça au domicile de la famille, ce qui chassa la rancœur que Jules nourrissait à son égard. De fait Berthe, que les circonstances guidaient au bord de l'épouvante, n'avait qu'une simple grippe. Il était devenu ardu, pour Jules et pour moi, de rebaiser ensemble, bien entendu il n'y avait plus rien à risquer qu'une recontamination réciproque, mais le virus se dressait entre nos corps comme un spectre qui les repoussait. Alors que j'avais toujours trouvé splendide et puissant le corps de Jules aux moments où il se déshabillait, je notai à part moi qu'il s'était décharné, et qu'il n'était plus loin de me faire pitié. De l'autre côté, le virus, qui avait pris une consistance presque corporelle en devenant une chose certifiée et non plus redoutée, avait durci chez Berthe, contre toute volonté, un processus de dégoût qui visait le corps de Jules. Et nous savions l'un et l'autre que Jules, de par sa constitution mentale, ne pouvait pas vivre et ne pourrait pas survivre sans attirances portées sur son corps. Un délaissement érotique provoqué par le virus comme un de ses effets secondaires serait pour lui, dans un premier temps tout au moins, plus fatal que le virus lui-même, il le décharnerait moralement, plus gravement que physiquement. D'apparence si solide à tous points de vue, Jules au cinéma se voilait les yeux comme un enfant trop sensible ou comme une femme à l'approche des cruautés. Ce jour-là il devait passer chez son ophtalmologue, proche de chez moi, il avait un peu d'avance, j'avais entrepris de dérouiller notre mécanique de baise en me replaquant contre son dos et en soulevant son pull à la recherche de ses tétons, pour les meurtrir, pour lui faire mal, le plus mal possible, en les écrabouillant au sang entre mes ongles, jusqu'à ce qu'il se retourne et s'accroupisse à mes pieds en gémissant. Mais l'heure de son rendez-vous était arrivée. Quand il revint de chez l'ophtalmo, Jules m'annonça qu'il n'avait pas de conjonctivite mais un voile blanc sur la cornée, et que ce devait être une manifestation du sida, il avait peur de perdre la vue, et moi, devant sa panique, sans lui opposer aucun frein, j'étais prêt à me dissoudre sur place. Je réattaquai ses tétons, et lui rapidement, mécaniquement, s'agenouilla devant moi, les mains imaginairement liées derrière le dos, pour frotter ses lèvres contre ma braguette, me suppliant par ses gémissements et ses grognements de lui redonner ma chair, en délivrance de la meurtrissure que je lui imposais. Ecrire cela aujourd'hui si loin de lui refait bander mon sexe, désactivé et inerte depuis des semaines. Cette ébauche de baise me semblait sur l'heure d'une tristesse intolérable, j'avais l'impression que Jules et moi nous étions égarés entre nos vies et notre mort, et que le point qui nous situait ensemble dans cet intervalle, d'ordinaire et par nécessité assez flou, était devenu atrocement net, que nous faisions le point, par cet enchaînement physique, sur le tableau macabre de deux squelettes sodomites. Planté au fond de mon cul dans la chair qui enrobait l'os du bassin, Jules me fit jouir en me regardant dans les yeux. C'était un regard insoutenable, trop sublime, trop déchirant, à la fois éternel et menacé par l'éternité. Je bloquai mon sanglot dans ma gorge en le faisant passer pour un soupir de détente.

53

Le docteur Chandi, pour préparer l'échéance qu'il avait programmée avec le test et l'analyse fouillée du sang, avait mis en avant la découverte d'une molécule qui refrénerait la décimation progressive par le virus HIV des lymphocytes, garants des défenses immunitaires. Une fois que la vérité fut bien mise en place, et qu'on eut réduit autant que possible ses aires de frottements, le docteur Chandi me proposa d'entrer dans un groupe d'expérimentation de cette molécule, baptisée Défenthiol, qu'on avait défectueusement testée aux Etats-Unis, et dont on avait incorrectement posé les bases statistiques en France, retardant du coup de six mois à un an le moment où l'on pourrait jurer de son efficacité ou de son inutilité. Le docteur Chandi, en faisant mine d'éplucher ma fiche de patient, me dit : « Un zona, maintenant ce champignon, et votre taux de T4 vous donneraient droit à entrer dans ce groupe de recherche. » C'est à ce moment que le docteur Chandi m'expliqua le principe du double aveugle, que j'ignorais, et qui bien évidemment me captiva : pour mener à bien une expérimentation de ce genre, il fallait administrer d'un côté le vrai médicament, de l'autre un médicament factice, le double aveugle, pour une proportion égale chez des malades d'un même profil, de façon que les uns et les autres, ne sachant pas à quel groupe ils appartiennent, admettent la loi du tirage au sort, jusqu'à ce qu'on retire, après d'éventuels dommages dans un des camps, le bandeau du double aveuglé. Sur le moment le système me parut abominable, une vraie torture, pour les uns comme pour les autres. Aujourd'hui où l'imminence de la mort s'est tellement rapprochée de moi, même si je reste un suicidaire en puissance, peut-être pour cela d'ailleurs, je crois que je sauterais à pieds joints dans la mare du double aveugle, et que je barboterais dans son précipice. Je demandai au docteur Chandi : « En fait vous me conseillez d'entrer dans ce groupe de recherche ? » Il répondit : « Je ne vous conseille rien, mais je peux vous donner l'assurance que j'ai la quasi-certitude personnelle, et qui n'engage que moi, que les effets de ce médicament sont en tout cas inoffensifs. » Je refusai de le prendre, lui ou son double vide. Nous en serions restés là sur le chapitre du Défenthiol si, des mois plus tard, au cours d'un déjeuner, le docteur Chandi ne m'avait avoué qu'il avait déjà la certitude à l'époque où il me l'avait proposé que ce médicament était aussi nul que son double. Mais les laboratoires qui le produisaient, en lice avec d'autres et à défaut d'avoir mis au point quelque chose d'efficace, retardaient le verdict de l'expérimentation, et soudoyaient des scientifiques pour faire paraître des communications plutôt favorables qui empêchaient qu'on retire le produit du marché. De mon côté, quand j'hésitais à prendre ou pas ce médicament ou son ersatz creux, devant Stéphane que je consultais l'air de rien à son propos, feignant de confondre par indifférence le Défenthiol avec l'AZT, je m'entendis dire que le principe du double aveugle faisait perdre la tête à ceux qui s'y soumettaient : ils tenaient rarement plus d'une semaine et, à bout de forces, couraient dans un laboratoire pour faire analyser le médicament qu'on leur avait fourni, ayant besoin de savoir coûte que coûte s'il était vrai ou faux.

54

On commençait à lire des cas, dans les journaux, d'individus qui, par l'entremise des tribunaux, tentaient d'extorquer de l'argent, soit à des prostituées soit à des partenaires de hasard, qui les auraient contaminés en toute connaissance de cause. Les autorités bavaroises recommandaient de tatouer un sigle bleu sur les fesses des personnes infectées. Je m'étais inquiété de ce que la mère du Poète ait exigé de son fils, présupposant que nous avions eu ensemble des relations physiques, qu'il se soumette au test du sida, bien avant que je fasse le mien. J'avais toujours pris des précautions avec le Poète, même lorsqu'il m'avait prié de le traiter comme une chienne, et que je l'avais livré à Jules, me servant de Jules comme d'un godemiché que je ne souhaitais pas être. J'avais senti juste avant la jouissance une très étrange sueur monter de nos trois corps imbriqués, c'était la plus voluptueuse des odeurs, la plus vertigineuse aussi : je me demandai si nous n'étions pas devenus, Jules et moi, un couple d'assassins sauvages, sans foi ni loi. Mais non, j'avais pris soin de remettre une nouvelle capote à Jules avant chaque pénétration du jeune homme qu'il déflorait, et je me retenais de ne pas jouir dans la bouche du Poète, car sucer une bite était apparemment ce qui excitait le plus ce petit hétéro qui pleurnichait de ce que les filles ne suçaient pas, par substitution ou par projection inversée il voulait être pris comme une salope. Ce qui m'inquiétait dans cette exigence de sa mère, c'est que je savais, par ses récits, que le Poète se farcissait le premier venu, se laissait bouffer le cul par de vieux types dégueulasses qui le ramassaient sur la route quand il faisait du stop entre Marseille et Avignon. Je redoutais une grande injustice dans le fait que j'étais aux yeux de la mère le seul amant identifiable, donc l'assassin présumé. Le Poète finit par m'écrire : « D'après les analyses, je n'ai pas le sida. » C'était dit comme avec regret par ce jeune homme qui ne pensait qu'au suicide, ou à la gloire.

A l'heure où j'écris ces lignes, encore pensionnaire de cette académie, de cette citadelle du malheur où les enfants n'en finissent pas de naître anormaux et les bibliothécaires neurasthéniques de se pendre à l'escalier du fond, où les peintres sont d'anciens fous recyclés qui apprenaient à peindre aux fous dans des asiles, et où les écrivains, soudain dénués. de toute personnalité, se mettent à parodier leurs aînés, écrit Thomas Bernhard par pure diversion, pour soulager un peu le discours de sa progression, aussi inéluctable que la progression destructrice dans le sang et les cellules du virus HIV, une femme de pensionnaire que son mari a laissée en rade avec ses deux enfants a perdu la tête, nous confiant d'abord sournoisement la charge de son nourrisson, à nous les copensionnaires de son mari à qui elle refusait de dire bonjour, puis allant toujours plus loin, nous persécutant d'incessants coups de téléphone et de sonnette aux heures les plus indues, jusqu'à hurler de terreur une nuit entière à l'approche des monstres que nous sommes, qui avons kidnappé son mari afin de faire violence à ses enfants, cette pauvre Josiane est complètement maboule, mais par ses crises de démence elle est enfin parvenue à attirer l'attention sur elle, elle qu'on avait toujours prise pour une grognasse tout juste bonne à pondre et à allaiter, voilà justement qu'elle se révèle incapable de donner correctement le biberon, et qu'elle tartine de lait la face de son nouveau-né qui hurle lui aussi de terreur dès qu'elle l'approche, mais nous sourit à nous les violeurs de bébés, et qu'on a peur de voir voler par une fenêtre, moi qui ne m'aventure jamais dans cette fraction des jardins j'ai poussé ce matin jusque sous ses fenêtres, mes pas comme malgré moi m'ont amené sous la plus haute concentration présente du malheur, et j'ai fixé à la dérobée le balcon ouvert au soleil avec sa couette qui prenait l'air, craignant de voir dépasser le visage de la folle et de recevoir le bébé sur la tête, et l'espérant en même temps puisque l'imaginant, pour gober comme tout le monde la souffrance de la mère qui s'est révélée être peintre, et barbouille maintenant ses murs de rouge à lèvres avec le nom d'un de nos copensionnaires sur lequel elle a fait une fixation parce que c'était l'unique ami de son mari, nous les pensionnaires qui ne nous adressons jamais la parole et qui nous fuyons même lorsque nous nous croisons dans les allées, voilà que nous nous trouvons ligués par le malheur de cette femme, avec le souci hypocrite de l'en protéger, mais en réalité avec la farouche volonté collective de pousser cette femme au bout de son malheur, et que notre académie obsolète trouve enfin une raison d'être, un motif de vie et de circulation, une vocation dans le malheur de cette femme, voilà que notre académie mourante est devenue une usine bourdonnante du malheur.

J'étais rentré à Rome en laissant à Paris le secret de ma maladie. J'y fis cependant entorse pour Matou à force d'être tanné par lui sur la cause de mon assombrissement. Il n'y avait pas un jour où il ne revenait à la charge : « Mais enfin qu'est-ce qu'il t'arrive Hervelino ? Tu es devenu tout bizarre... Tu as changé... Quelque chose te préoccupe ? Je t'aime beaucoup, il est normal que je me soucie de toi... » Je fis d'abord semblant de ne pas saisir le sens de ses injonctions, puis je l'envoyai bouler, mais il ne lâchait pas prise. Enfin, alors que nous étions tous les deux seuls, je laissai tomber la vérité, je lui dis texto que j'avais des inquiétudes au sujet de ma santé, et, sans exiger aucune précision supplémentaire, il ne me posa plus aucune question. Mais l'aveu comprenait quelque chose d'atroce : dire qu'on était malade ne faisait qu'accréditer la maladie, elle devenait réelle tout à coup, sans appel, et semblait tirer sa puissance et ses forces destructrices du crédit qu'on lui accordait. De plus, c'était un premier pas dans la séparation qui devait conduire au deuil. Le soir même Matou sonnait à ma porte pour m'offrir l'objet que je recherchais depuis des semaines, un luminaire stellaire, lui l'avait dégoté en un tournemain comme un magicien, et c'était sa façon à lui de me dire que la lampe en forme d'étoile, malgré mon inquiétude, m'éclairerait encore longtemps. Et nous allâmes danser ensemble, jusqu'à l'extrême limite de nos forces, pour nous démontrer que nous avions encore du souffle, et que nous étions bien en vie. Mais j'avais aussi des inquiétudes au sujet de Matou, car, avant de devenir mon grand ami, il avait été mon amant, cinq ans plus tôt, à une période qui devait coïncider avec le temps rétroactif de la contamination, le suivre ou le précéder de peu. Son amie n'arrêtait pas de tousser, elle était continuellement malade, de plus elle attendait un bébé. En prenant des gants, je déclarai à Matou qu'à cause de cette situation, la gestation de l'enfant qui remontait à trois mois, je lui conseillais de faire le test, sans en parler toutefois à son amie pour ne pas l'inquiéter. Je plongeai Matou dans un état d'angoisse abominable, qu'il fut contraint de murer au plus profond de lui, retourné dans son pays, et s'interrogeant sans relâche au cours de ses insomnies, en fixant les feuilles du frêne qui bruissait dans l'ombre par la fenêtre, sur le bien-fondé de cette démarche, torturé par son hésitation, décidant de faire le test, puis y renonçant. Le matin de son départ, à bout de tout, il alla tendre son bras nu à l'aiguille comme, empêtré dans les ronces d'une promenade inextricable, on se décide à sauter d'un mur trop haut, et emporta en échange son numéro de loterie, qu'il remit à la personne en qui il avait une entière confiance. Matou était revenu à Rome, nous marchions ensemble dans le jardin, son amie plus loin avec une autre connaissance, il portait ce soir-là sa gabardine bleue et son chapeau, cela faisait des jours, depuis son retour, qu'il était morfondu, terne et agressif, il me chuchota : « Ça y est, j'ai fait le test... » Je lui demandai, avec avidité : « Et alors ? » C'était un moment difficile, où l'on pouvait penser que l'autre avait des doutes sur la véritable transparence, en cet instant, de votre cœur. Matou venait de recevoir le coup de fil de cet ami qui s'était fait passer pour lui avec son numéro. « Et alors c'est bon... » me dit Matou sans intonation. Je souriais, j'étais, n'est-ce pas louche de le préciser ? profondément et sincèrement soulagé.

57

Depuis que j'étais assuré de la présence à l'intérieur de mon corps du virus HIV qui s'y tapissait, à un point, on ignorait lequel, ou du système lymphocytaire ou du système nerveux ou du cerveau, fourbissant ses armes, bandé à mort sur sa mécanique d'horlogerie qui avait fixé sa détonation à six ans, sans parler de mon champignon sous la langue qui était devenu stationnaire et que nous avions renoncé à soigner, j'avais eu divers maux secondaires que le docteur Chandi avait traités, souvent au téléphone, les uns après les autres : des plaques d'eczéma sur les épaules avec une crème à la cortisone, du Locoïd à 0,1 %, des diarrhées avec de l'Ercéfuryl 200 à raison d'une gélule toutes les quatre heures pendant trois jours, un orgelet douteux avec du collyre Dacrine et une crème à l'Auréomycine. Le docteur Chandi m'avait dit initialement : « Il n'existe pas à ce jour de vrai traitement contre le sida, on soigne successivement ses symptômes au fur et à mesure de leur déclenchement, et en phase terminale, désormais, il y a l'AZT, mais une fois qu'on commence à le prendre, on doit le prendre jusqu'au bout. » Il ne disait pas jusqu'à la mort, il disait jusqu'à l'intolérance. De retour à Rome je réalisai qu'un ganglion un peu douloureux gonflait à gauche de la pomme d'Adam, accompagné d'une petite poussée de fièvre. Alerté par ce signe, que tous les journaux depuis des années nous rabâchaient être décisif dans l'enclenchement du sida, j'appelai à Paris le docteur Chandi qui me prescrivit un anti-inflammatoire, du Nifluril, en omettant de me fournir en même temps la composition du produit qui eût permis de trouver le médicament similaire fabriqué en Italie. Au lieu de cela je courais avec affolement, ne cessant de repalper mon ganglion, à la pharmacie de la place d'Espagne, qui m'envoya à la pharmacie internationale de la place Barberini, qui m'envoya à la pharmacie du Vatican, me forçant à découvrir ce monde incroyable où, pour l'obtention d'un médicament, il faut, après avoir subi l'interrogatoire d'un Suisse, faire la queue devant un guichet, présenter une pièce d'identité, attendre que le laisser-passer avec ses doubles et leurs carbones soient copieusement tamponnés, le tendre à un vigile avant de pouvoir pénétrer dans la ville sainte, qui ressemble aux abords d'un Supermammouth à la périphérie d'une ville de province, avec des consommateurs qui poussent des chariots débordant de couches-culottes et de caisses d'eau minérale bénie, car tout est moins cher dans la ville sainte, qui est une ville complète à l'intérieur de la ville et qui la concurrence, avec son bureau de poste, son tribunal et sa prison, son cinéma, ses églises de poche où l'on va prier entre deux achats, et, après m'être égaré, j'entrai enfin dans la pharmacie, blanche et futuriste, dessinée par le décorateur de Kubrick pour *Orange mécanique*, avec son comptoir où d'un côté des bonnes sœurs à l'habit gris à peine recouvert d'une blouse blanche vendent des cosmétiques et des « Opium » d'Yves Saint Laurent en duty free, tandis que de l'autre côté des curés au col gris visible sous la blouse vendent des packs d'aspirine et de préservatifs, me faisant dire au bout du compte qu'il n'était pas question pour moi de dénicher du Nifluril dans aucune pharmacie de cette ville, même pas dans celle du Vatican. Jules vint passer une semaine à Rome, et sa présence ne fit qu'accroître ma panique. Deux sidas c'était trop pour un seul homme, puisque j'avais désormais la sensation que nous formions un seul et même être, sans miroir au milieu, et que c'était ma voix aussi que je recouvrais quand je lui parlais au téléphone, et que c'était mon propre corps que je reconquérais chaque fois que je prenais le sien entre mes bras, ces deux foyers d'infection latente étaient devenus intolérables à l'intérieur d'un seul corps. Si l'un de nous eût été malade, et pas l'autre, cela eût sans doute créé un équilibre de protection qui aurait soustrait la moitié du mal. Ensemble nous nous abîmions dans cette double maladie, nous sombrions avec impuissance, et aucun n'arrivait à retenir l'autre de cette attraction commune vers le fond, le fin fond des fonds. Jules se débattait comme un malheureux, il refusait d'être mon garde-malade, il en avait sa claque, il m'envoyait bouillir, et moi je l'injuriais, je lui disais que je n'étais pas mécontent qu'il me donne des raisons de le haïr. Il venait de m'avouer qu'un mois plus tôt son corps entier, de la gorge à l'aine en passant par les aisselles, s'était gonflé sous une poussée de ganglions, qui avaient subsisté une semaine avant de disparaître d'eux-mêmes, mais lui, comme toujours, avait eu la force morale de prendre cela sur lui et sur lui seul, de dissoudre en lui son inquiétude au lieu de la propager vers les autres, comme j'avais tendance à le faire : je n'ai pas mon pareil pour jeter mon inquiétude à la

169

gueule de mes amis, David dit que c'en est écœurant. Un week-end avec Jules à Assise et à Arezzo, qui sont deux villes mortes, nous acheva, il plut sans interruption, je claquais des dents, je somnolais dans une chambre d'hôtel mal chauffée dont le balcon donnait sur un point de vue absurdement somptueux, et à longueur de journées et d'insomnies je broyais mon ganglion entre le pouce et l'index, Jules fuyait, il allait marcher sous la pluie, il me préférait ce sale petit crachin glacé. De retour à Rome, nous hâtâmes son départ, nous n'en pouvions plus l'un de l'autre, Jules me quitta en me voyant tordu d'angoisse et en pleurs sur mon lit, le suppliant de m'emmener à l'hôpital. Dès qu'il eut disparu, je me sentis mieux, j'étais mon meilleur garde-malade, personne d'autre que moi n'était à la hauteur de ma souffrance. Mon ganglion dégonfla tout seul, comme Muzil pour Stéphane Jules était ma maladie, il la personnifiait, et j'étais sans doute la sienne. Je me reposais, seul et apaisé, la majeure partie du temps, en attendant qu'un ange me délivre.

58

Jules m'a fait remarquer qu'ils ont mis une moquette neuve à l'institut Alfred-Fournier, un peu déclinant depuis la syphilis, et soudain prospère comme une usine de capotes, engraissé par le sang des séropositifs qui doivent faire un contrôle tous les trois mois, le bilan sanguin spécifique du virus HIV coûte cinq cent douze francs cinquante, on peut désormais régler avec la Carte Bleue. Les infirmières sont très chic, avec des bas semi-teintés et des chaussures plates, des jupes de tailleur et des colliers sobres qui dépassent de la blouse, on dirait des professeurs de piano ou des banquières. Elles enfilent leurs gants de caoutchouc comme des gants de velours pour un gala à l'Opéra. Je suis tombé sur une piqueuse d'une délicatesse merveilleuse, discrètement attentive au quotient de pâleur soudain modelé sur le visage. Elle voit couler à longueur de journées ce sang empoisonné, et malgré ses gants translucides elle passe tout à côté de la source de l'empoisonnement, elle ôte ses gants dans un claquement pour appuyer ses doigts nus avec le sparadrap sur la plaie, et elle parle de tout autre chose, elle dit : « C'est « Habit rouge » votre parfum ? Je l'ai tout de suite reconnu. Bien sûr, ce n'est pas grand-chose, mais j'aime bien ce parfum, et le ressentir dans cette matinée grise est quand même pour moi, vous savez, une toute petite aubaine. »

59

Le 18 mars 1988, de retour à Paris, je dîne chez Robin en compagnie de Gustave, la veille de leur départ pour la Thaïlande. Sont également présents, je m'en souviens précisément et jusqu'à leur disposition autour de la table : Paul, Diego et Jean-Jacques, ainsi que Bill rentré le matin même des Etats-Unis. Nous serons donc ce soir-là six hommes témoins de son discours. Bill est dans un état d'excitation indescriptible, qui va emporter avec lui notre dîner, et monopoliser toutes nos conversations : il nous annonce tout de go qu'on vient de mettre au point en Amérique un vaccin efficace contre le sida, pas vraiment un vaccin pour être exact, puisque en principe un vaccin est préventif, alors disons un vaccin curatif, obtenu à partir du virus HIV et administré à des séropositifs non symptomatiques, appelés initialement les « porteurs sains » jusqu'à ce qu'on remette en cause le côté sain d'un homme contaminé par le sida, de façon à bloquer sa virulence, à empêcher le virus de mettre en branle son processus de destruction, mais c'est un secret absolu, Bill compte sur notre entière discrétion à nous tous pour ne pas donner de faux espoirs à de pauvres malades qui, de surcroît, par leur affolement, pourraient mettre des bâtons dans les roues de l'expérimentation qu'on devrait bientôt mener en France, nous sommes tous ici présents bien sûr qui connaissons des malades du sida mais il va de soi qu'aucun malade ne se cache parmi nous. Je suis un des premiers dans cette assistance, mais comment savoir si je suis le premier réellement car tout le monde se ment toujours à propos de la maladie, à être, dans mon for intérieur, bouleversé par le récit de Bill, qui est en train de contredire, sinon de remettre en question mon accoutumance à une mort très proche. J'ai peur d'être blême, ou soudain trop rouge, j'ai peur de me trahir, et pour me défaire une bonne fois de cette peur je lance à Bill avec ironie : « Alors tu vas pouvoir nous sauver, tous ici autant que nous sommes ? — Ne dis pas de bêtises, me rétorque Bill gêné dans le développement de son récit, toi tu n'es pas séropositif. » Puis, en se retournant vers l'assistance : « Mais on va pouvoir repêcher des gens comme Eric, et aussi ton frère », dit-il devant cinq autres personnes à Robin. J'ignorais entièrement qu'Eric, mort l'été dernier, et le jeune frère hétérosexuel de Robin, parti aujourd'hui pour un tour du monde sur un voilier, étaient comme moi séropositifs. Bill poursuivait : on vient d'obtenir, aux Etats-Unis, les premiers résultats, au bout de trois mois d'observation, d'une première tranche d'expérimentation menée sur des séropositifs asymptomatiques, auxquels on a administré ce vaccin le 1er décembre dernier. Toute présence du virus à l'intérieur de leur corps, et en chacun de ses facteurs transmissibles, le sang, le sperme, les larmes et la sueur, semblerait totalement évacuée par le vaccin. Ces résultats sont tellement fabuleux qu'on va lancer dès le 1er avril une seconde tranche d'expérimentation, en vérité la troisième car une première tranche antérieure avait concerné des malades trop avancés dans la maladie qui sont aujourd'hui tous morts ou mourants, cette fois sur soixante séropositifs asymptomatiques, regroupés sous l'appellation 2B, auxquels on va injecter, pour la moitié le vaccin, et pour l'autre moitié son double aveugle. On devrait avoir des résultats presque définitifs six mois plus tard, c'est-à-dire à la rentrée, à la suite de quoi, s'ils sont aussi favorables que le laissent présager ceux de la tranche 2A, on devrait mettre en place sur la France une expérimentation de ce genre, qui devrait permettre, disait Bill, de repêcher des gens comme Eric, ou comme ton frère à toi Robin. Bill se retrouvait étroitement associé à la mise au point de ce vaccin et à sa commercialisation éventuelle en tant que directeur de ce grand laboratoire français producteur de vaccins, et ami intime de longue date de l'inventeur de ce nouveau vaccin, Melvil Mockney. La trouvaille de Mockney consistait à fabriquer son vaccin à partir du noyau du virus HIV, alors que ses confrères, depuis qu'on avait cerné le schéma du virus, s'étaient exercés à utiliser son enveloppe, accumulant des échecs qui se faisaient de jour en jour plus cuisants, et qui éclateraient au grand jour selon Bill lors du congrès mondial de Stockholm, où se réuniraient du 11 au 18 juin prochains les chercheurs du monde entier. Bill était excité comme une puce par le vaccin, et là c'étaient ses plus proches amis qu'il consultait, parce qu'il risquait de transformer sa vie du tout au tout. Bill avait fini par s'ennuyer dans la routine épuisante, qui inévitablement accentuait sa solitude, d'allées et venues entre la France et l'Afrique, où il menait des activités médicales paragouvernementales. Il avait été associé à la politique médicale de la majorité, qui

175

était sur le point de basculer en France à la veille des nouvelles élections présidentielles, il avait songé se lancer pour son propre compte dans la politique mais il butait toujours sur l'idée que les hommes politiques sont incompétents et abrutis. Il n'y avait plus rien de vraiment intéressant à entreprendre aujourd'hui que la lutte contre le sida, à cause du développement catastrophique de son épidémie. Mais il fallait faire très vite. Il était probable qu'il allait devoir s'installer aux Etats-Unis, à Miami, où l'on produirait le vaccin par hectolitres dans d'immenses cuves en veillant à ce que le virus correctement désactivé, cryogénéisé puis décongelé et neutralisé aux rayons laser, ne puisse contaminer ses laborantins. Bill pouvait, en tant qu'ami depuis vingt ans de Melvil Mockney et directeur de ce grand laboratoire producteur de vaccins, être mêlé à la découverte qui allait sauver l'humanité de son plus haut péril contemporain. Le vaccin était également pour lui, il ne s'en cachait pas, bien qu'il ne sût jamais quoi faire de son argent, le moyen de faire vraiment fortune. Bill me raccompagna chez moi dans sa Jaguar, je ne dis pas un mot de tout le trajet, je devais passer la soirée du lendemain seul à seul avec lui, avant que nous repartions chacun de notre côté, lui pour Miami, moi pour Rome. Je ne dormis pas de la nuit, mon état d'effervescence ne laissait aucune place au repos. Je m'étais réservé de parler à Jules de ce que je venais d'apprendre, et je me réservais aussi de mettre Bill au courant de ma maladie. Je recomptais les jours sur mon agenda : entre le 23 janvier où, rue du Jura, j'accueillis la nouvelle sans appel de ma maladie et ce 18 mars où une seconde nouvelle pouvait s'avérer décisive dans la contradiction de ce que la première avait entériné en moi d'irréversible, cinquante-six jours s'étaient passés. J'avais vécu cinquante-six jours en m'habituant, tantôt avec gaieté tantôt avec désespoir, tantôt dans l'oubli tantôt dans une obsession féroce, à la certitude de ma condamnation. J'entrais dans une nouvelle phase, de suspension, d'espoir et d'incertitude, qui était peut-être plus atroce à vivre que la précédente.

60

Je confirmai cette nuit-là à moi-même que j'étais un phénomène du destin : pourquoi était-ce moi qui avais chopé le sida et pourquoi était-ce Bill, mon ami Bill qui allait être un des premiers au monde à détenir la clef capable d'effacer mon cauchemar, ou ma joie d'être enfin parvenu au but ? Pourquoi ce type était-il venu s'asseoir en face de moi au drugstore Saint-Germain, où je dînais seul, ce soir d'automne 1973, il y a plus de quinze ans, quand j'en avais dix-huit ? Et lui, quel âge pouvait-il avoir à cette époque ? Trente, trente-cinq, l'âge que j'ai aujourd'hui ? J'étais terriblement seul et lui l'était sans doute autant que moi sinon plus : sans doute aussi seul, et démuni face à un jeune homme, que je le suis aujourd'hui. Il m'avait proposé, de but en blanc, de l'accompagner en Afrique dans l'avion de service qu'il pilotait. C'est lui qui avait prononcé, ce soir-là, les mots qui ont été finalement redits et joués par un acteur qui tenait son rôle dans un film dont j'ai écrit le scénario : « Vous savez, ce n'est pas du tout compliqué d'aller en Afrique, il suffit de faire vos vaccins, typhus, fièvre jaune, et commencer dès demain à prendre votre Nivaquine pour vous prévenir du paludisme, un comprimé matin et soir, quinze jours avant le départ, nous quitterons Paris justement dans quinze jours. » Pourquoi avais-je renoncé au dernier moment à partir avec ce type que je n'avais pas revu, mais avec lequel j'étais resté quinze jours durant en relation téléphonique pour préparer notre départ, qui ne faisait alors aucun doute pour moi puisque j'avais subi les vaccins et commencé la Nivaquine ? Pourquoi nous étions-nous perdus de vue, et retrouvés, cinq ans plus tard, un soir de juillet 1978, à Arles, où nous assistions l'un et l'autre aux Rencontres de la photographie ? Mais ce Bill n'était-il pas, davantage que moi, un de ces phénomènes stupéfiants du destin, un de ces monstres absolus du sort, qu'ils semblent tordre et sculpter à leur guise ? N'y avait-il pas entre lui et ce chercheur qui devait assurer sa fortune autant de relations, quasiment surnaturelles, malgré la différence d'âge qui devait être la même, qu'entre lui et moi ? Melvil Mockney s'est rendu célèbre en découvrant, en 1951, le vaccin contre la poliomyélite. Enfant après la guerre Bill a soudain été attaqué, à l'instar de sa sœur, par ce virus de la poliomyélite qui paralysait les uns après les autres les centres facteurs de mobilité, de la physionomie en crispant à jamais une partie du visage jusqu'au souffle vital en détruisant le réflexe de la respiration, forçant ses victimes, souvent des enfants, à être coffrés vivants dans les fameux « poumons d'acier » qui respiraient à leur place, jusqu'à l'étouffement complet. Le sida en phase terminale, par la pneumocystose ou le champignon Kaposi qui attaque les poumons, mène aussi à l'étouffement complet. Mais Bill, paralysé déjà sur toute une moitié de la face, empêchant la fermeture d'un œil et les réflexes moteurs de la partie droite des lèvres puisque cette zone morte de son visage se trouve à la gauche de mon regard quand je dîne face à lui, l'enfant Bill menacé par la progression du virus ne fut pas miraculé par l'invention de celui qui allait devenir son confrère et ami. Dès 1948, trois ans avant que Mockney mette au point ce vaccin antipoliomyélitique, le petit Bill parvenait à dompter en lui, par un seul effort de sa volonté ou par un miracle du hasard, la puissance destructrice du virus poliomyélitique, à la stopper, comme un enfant s'assied sur un lion furieux, et à la chasser à tout jamais hors de son corps sans l'intervention du vaccin. Melvil Mockney, m'apprit Bill, ne fut pas couronné par le Prix Nobel à la suite de sa découverte, refusant de se plier aux règles qui conduisent aux honneurs et détestant leurs magouilles, il s'était retiré dans un centre à Rochester pour mener à bien des recherches sur le cerveau, établissant bientôt que le cerveau ne transmettait pas uniquement des influx nerveux par tout le corps, mais des fluides qui ont des actions tout aussi décisives.

61

Je dînai donc avec Bill le samedi 19 mars, Jules à qui j'avais parlé le matin au téléphone m'avait donné l'ordre de le mettre au courant de notre situation, et Edwige que j'avais consultée lors de notre rituel déjeuner du samedi me l'avait aussi fortement conseillé, toutefois je restais le plus hésitant sur cette démarche, non que je n'avais pas une confiance absolue en Bill, mais je craignais de voir bouleversé par un nouveau pacte avec le sort cet état progressif, plutôt apaisant en définitive, de mort inéluctable. Jules, à un moment où il ne croyait pas que nous étions infectés, m'avait dit que le sida est une maladie merveilleuse. Et c'est vrai que je découvrais quelque chose de suave et d'ébloui dans son atrocité, c'était certes une maladie inexorable, mais elle n'était pas foudroyante, c'était une maladie à paliers, un très long escalier qui menait assurément à la mort mais dont chaque marche représentait un apprentissage sans pareil, c'était une maladie qui donnait le temps de mourir, et qui donnait à la mort le temps de vivre, le temps de découvrir le temps et de découvrir enfin la vie, c'était en quelque sorte une géniale invention moderne que nous avaient transmis ces singes verts d'Afrique. Et le malheur, une fois qu'on était plongé dedans, était beaucoup plus vivable que son pressentiment, beaucoup moins cruel en définitive que ce qu'on aurait cru. Si la vie n'était que le pressentiment de la mort, en nous torturant sans relâche quant à l'incertitude de son échéance, le sida, en fixant un terme certifié à notre vie, six ans de séropositivité, plus deux ans dans le meilleur des cas avec l'AZT ou quelques mois sans, faisait de nous des hommes pleinement conscients de leur vie, nous délivrait de notre ignorance. Si Bill, avec son vaccin, remettait en cause ma condamnation, il me replongerait dans mon état d'ignorance antérieur. Le sida m'avait permis de faire un bond formidable dans ma vie. Nous décidâmes avec Bill d'aller voir au cinéma *L'empire du soleil,* un navet palpitant qui raconte, à travers son amerloque ribambelle de stéréotypes, le struggle for life d'un enfant projeté dans le monde le plus dur qui soit : la guerre sans le secours des parents, un camp de redressement où règne la loi du plus fort, les bombes et les sévices, la faim et le marché noir, et cetera. Je sentais dans le noir, aux déglutitions de Bill en accord avec le pathétisme des images ou son relâchement, en me tournant parfois discrètement vers cette luisance trop accentuée de l'œil, de ce ressort de larmes contenues réfléchi par l'écran, qu'il marchait à bloc, et qu'il s'identifiait, peut-être pas au personnage enfantin, mais au message symbolique du film : que le malheur est le lot commun des hommes mais qu'avec de la volonté on s'en sort toujours. Je savais que Bill malgré son intelligence est un extraordinaire spectateur naïf, à qui l'on peut à peu près faire gober n'importe quoi, mais cette naïveté pour l'heure me répugnait, et me répugnait surtout de devoir opposer l'incroyable, inespérée dirait un ennemi, perspective d'intelligence qu'ouvrait le sida dans ma vie soudain délimitée à cette naïveté de midinette. Je pris la décision, en sortant du cinéma, de ne souffler mot à Bill de rien de ce qui était prévu, ou s'imposait par simple réflexe de survie. Il était déjà tard, les portes des restaurants fermaient à notre approche et il était compliqué de garer la Jaguar dans les ruelles exiguës de ce quartier du Marais. Nous atterrîmes par hasard dans un nallucinant restaurant juif, menés à la baguette par un serveur folle déguisé en cosaque, coincés entre des couples qui se faisaient les yeux doux au-dessus d'une assiette baltique éclairée aux bougies, nous empêchant bien sûr d'aborder le sujet. Mais Bill n'avait que lui aux lèvres et, une fois les deux trois mots banals échangés sur le film, je décidai, malgré mon renoncement, ce qui était peut-être son abandon, de cuisiner Bill sur le sujet qui nous préoccupait pour des raisons différentes, et je l'abordai immédiatement de façon codée, le bombardant de questions : comment on fabriquait le Ringeding, et à partir de quel moment les Ringedings pouvaient prendre du Ringeding, nos voisins durent penser que nous étions des magnats de la drogue. En me faisant raccompagner chez moi dans la Jaguar de Bill qui fonçait silencieusement dans les rues désertes de Paris, qui volait presque au-dessus d'elles aux accords de la musique, je demandai à Bill s'il était capable de tenir un secret. Je lui déballai tout, comme malgré moi, contrairement à ce que je m'étais juré, téléguidé par mes amis et par le bon sens, et je voyais bien à la luisance de son œil qui ne voulait plus quitter la route, la route derrière le pare-brise comme l'interminable route semée d'embûches que nous venions au Vietnam de fixer sur l'écran, que Bill était bouleversé par ce que je lui annonçais de pathétique, qui l'était tout autant dans un autre genre que le film qui nous avait abasourdis. Bill se reprit, il me dit : « De toute façon je le savais. Depuis le zona je le savais, et c'est pour ça que je t'ai adressé à Chandi, pour que tu sois dans de bonnes mains... Plus que jamais, ce que tu me confirmes me laisse à penser qu'il faut faire vite, très vite. » Bill repartait le lendemain pour Miami. Auparavant il m'avait demandé : « Tu en es à combien de T4 ? » déjà moins de 500, mais encore plus de 400, le seuil fatal était à 200.

62

A partir de ce jour Bill ne donna plus de nouvelles, et il ne
téléphona plus, alors que tous ces derniers temps il m'avait
presque importuné à Rome, dans la nuit, avec d'interminables
coups de fil, lui d'ordinaire si bref, si expéditif, il
m'appelait désœuvré de son bureau à Miami à l'issue d'une
de ces journées de travail qui avait démarré à sept heures et
n'avait été rompue que par un break d'un quart d'heure
pour un sandwich, à la tombée de la nuit l'absurdité de
l'agitation retombée devenait intolérable et accentuait la
solitude, secrétaires et collègues allaient rejoindre leurs
foyers, et Bill restait seul dans son bureau à laisser errer ses
yeux sur son carnet d'adresses qui d'un seul coup lui
paraissait vide et transparent, j'étais au bout du compte un
de ses seuls amis sur cette planète, il n'avait rien de spécial à
me dire sinon son épuisement et ses doutes, son incapacité à
vivre des aventures, et toujours, de façon assez égrillarde, il
me proposait de devenir le temps de la conversation
l'émissaire de ces aventures qu'il n'était plus capable
d'avoir, et il inventait quelqu'un dans mon lit quand il me
parlait alors que j'y étais seul, et il répercutait l'essoufflement de gymnastiques invraisemblables alors que ma voix

était tout bonnement grognonne d'avoir été sortie de son sommeil pour faire du zèle amical, à ces moments j'avais pitié de Bill. Il ne supportait aucun type d'obligations amicales, quoiqu'il fût perclus d'obligations professionnelles, c'était cela sa maladie, son obsession, la gangrène de ses rapports. Il voulait rester libre jusqu'au dernier moment, pour être le maître de ses soirées, et se proposer à la dernière minute, comme pour éprouver la fidélité et la disponibilité de ses quelques très rares amis, il n'acceptait jamais de bloquer une date pour un dîner dont il n'était pas l'organisateur, le rendez-vous devait se prendre un quart d'heure avant, entre sept et huit, même si lui en avait décidé ainsi plusieurs jours auparavant. Et il débarquait, royal, dans le jeu de quilles quadrillé de nos amitiés, fonçant avec sa Jaguar pour kidnapper l'un d'entre nous et l'inviter à dîner dans un grand restaurant, ou déposant avec naturel comme offrande sur le pas de la porte où il s'imposait une caisse de mouton-rothschild qu'il avait payée quelques millions aux enchères à Drouot. Se retrouver dans l'obligation de raccompagner à la fin d'une soirée l'un des convives le rendait malade, le prenait à la gorge, l'étouffait, l'aurait rendu capable de démolir à coups de maillet sa Jaguar qu'on prenait pour un minibus, ou le crâne de l'ami qui injuriait par là la noblesse de sa voiture argentée toute-puissante dans laquelle il se passait du Wagner. Quand il conduisait sa Jaguar rien ne devait lui résister, il avait enfilé ses mitaines de cuir aérées et tout sans exception devait alors plier autour de lui dans le champ de son regard, terrassé par le mouvement coulé de sa conduite sans faille, les passants qui voulaient s'engager hors des passages cloutés comme les autres voitures qui avaient l'audace stupide de ne pas s'incliner, à ces moments Bill devenait le justicier impérieux de la circulation parisienne, et moi je tremblais de peur à l'idée que nous écrasions un imprudent. Au fil des ans nous nous étions tout de même un peu dressés l'un et l'autre. J'étais quasiment la seule personne qu'il acceptait de raccompagner à l'issue d'un de nos dîners, au risque de jouir grossièrement de ce privilège vis-à-vis des autres, au moins l'avais-je difficilement gagné. J'adorais d'autant plus me faire raccompagner par Bill, ce que n'importe quel chauffeur de taxi pouvait bien faire, certes sans Jaguar, que cela coûtait énormément à Bill, de par sa phobie de l'obligation amicale, de faire ce tout petit détour qui bravait l'intransigeance de son orgueil, et le ravalait, non pas au rang de chauffeur comme il feignait en maugréant de le penser, mais tout simplement au rang d'ami fidèle, ce qui était pour moi un triomphe. Donc, depuis des mois, depuis l'aveu de ma maladie, Bill ne donnait plus aucun signe de vie, j'en souffrais parfois, cela augmentait parfois mon anxiété, ou mon regret de lui avoir parlé, mais, pour dire la vérité, son silence m'étonnait à peine, et je pourrais même ajouter que je m'en frottais les mains, car par ce silence abrupt, qui aurait pu sembler à quiconque une monstrueuse démission, Bill accédait cette fois au rang de personnage ambigu. J'imaginais son vertige : lui persécuté par l'obligation de raccompagner un ami en voiture, avec quelle terreur devait-il se sentir harcelé, maintenant qu'il était en passe d'en avoir les moyens, qu'il le croyait en tout cas ou que son ami le croyait, par l'obligation insupportable de sauver la vie d'un ami ? Il y avait réellement de quoi prendre ses jambes à son cou, dénuméroter son téléphone, et faire le mort.

63

Quelques années plus tôt, je daterais cet événement en 1983 ou 84, Bill nous avait adressé du Portugal, lui si sobre dans le registre de l'effusion amicale, une longue lettre déchirante. Il se savait atteint d'une grave maladie du foie, liée à un germe africain, qui mettait peut-être ses jours en danger, dès son retour il devait entrer à l'hôpital pour subir une ablation, il avait décidé de faire auparavant ce voyage dont il rêvait depuis longtemps, et il passait son temps, écrivait-il dans cette lettre au papier frappé du plus grand palace de Lisbonne, à visiter des maisons d'été sur la côte atlantique, aux alentours de Sintra, des demeures de rêve dans lesquelles soudain, dans cette véritable déclaration d'amitié qu'était sa longue lettre, il nous imaginait, nous ses amis un peu secondaires jusque-là, révélés brusquement à ses yeux par sa maladie et la menace d'une issue fatale des amis de tout premier plan. La lettre de Bill m'avait bouleversé, je lui avais répondu quelques mots très chaleureux. Bill subit cette ablation d'une partie du foie, se rétablit rapidement, et il ne fut plus jamais question de ces vacances d'été dans une maison de rêve de la côte atlantique du Portugal.

64

Je ne revis Bill que le soir du 14 juillet, à La Coste, chez
notre ami commun Robin, il était arrivé en avion le matin de
Miami, avait juste eu le temps de rencontrer son anesthésiste
au Val-de-Grâce, puis avait pris le TGV jusqu'à Avignon,
où il avait loué une voiture. Il devait repartir le lendemain
soir pour se faire hospitaliser, et opérer le surlendemain
d'une déchirure de la ceinture abdominale, qui arrive
souvent aux hommes d'une quarantaine d'années. De mon
côté j'avais quitté Paris à bout de tout, dans l'état de
fragilité morale qu'accompagnait ma solitude car tous mes
amis avaient quitté la capitale et j'étais remis aux mains de
mes deux vieilles grand-tantes, qui deviennent des vampires
impitoyables et s'abreuvent de mes forces jusqu'à la dernière goutte de sang dès qu'elles discernent une blessure par
où s'engouffrer. Bill était épuisé et déphasé par ses voyages,
presque somnambulique, il titubait, peut-être abruti de
surcroît par les calmants qu'on avait commencé de lui
administrer en vue de l'opération. Il m'importait bien sûr au
dernier degré de le revoir et de lui parler, mais devant les
autres je n'en montrais rien. Je n'avais pas à diriger mon
interrogatoire, déjà les autres amis bombardaient Bill de

questions. L'expérimentation continuait, les résultats étaient toujours favorables. Le congrès de Stockholm, que j'avais suivi jour après jour dans les journaux sans rien trouver qui concernât le fameux vaccin, n'avait pas été decisif comme on s'y attendait, la présence de Mockney avait été discrète, sa communication étouffée par un comité de sages qui l'avaient jugée prématurée, donc dangereuse, les confrères de Mockney lui étaient tombés dessus à bras raccourcis car les premiers bon résultats de l'expérimentation de son vaccin obtenu à partir du noyau du virus ne faisaient que renforcer l'échec massif des nombreuses autres expérimentations menées sur l'enveloppe du virus. Le plus grand problème désormais, ajoutait Bill, était de résister aux pressions des « capitalist adventurers », ces aventuriers, ces pionniers capitalistes qui avaient le nez de miser très vite sur un nouveau produit et de faire grimper ses prix. « S'ils mettent la main sur le vaccin de Mockney, expliquait Bill, les doses vont coûter mille dollars, alors qu'elles devraient en coûter dix, et ça va devenir un massacre pour l'humanité. » Nous dînions, en compagnie de quelques adolescents ébahis, sous la tonnelle du cabanon, comme d'habitude de crudités, de mélanges exquis proposés par Robin, de fruits rouges et de ces yaourts Alpa en pots de paraffine dont on se disputait spécialement la framboise, la vanille et le chocolat, les petites cuillères pour les déguster légères et tendues dans leur minuscule broc d'étain. Comme moi, Bill devait rentrer à l'hôtel, le cabanon était colonisé par une horde de jeunes Thaïlandais qui avaient certainement été placés là par leurs parents, comme le fit remarquer le restaurateur du mont Ventoux, pour leur voyage d'études en France. Bill ne tenait plus debout en m'accompagnant à l'hôtel, mais il tint à ressortir, après avoir déposé son bagage dans sa chambre, malgré l'heure tardive, pour que nous allions boire un verre à la terrasse du *Café du commerce*, ou en face où jouait un petit orchestre, pour parler un peu seul à seul. Tout de go, sans que j'aie eu à lui poser aucune question, en clignant ses yeux ratatinés par la fatigue, Bill me demanda des nouvelles de Jules, de Berthe et des enfants, puis comment je me sentais moi et où en étaient mes analyses, et il me dit : « Si tout continue de bien se passer, l'expérimentation pour la France devrait se mettre en place en septembre, au plus tard début décembre, on disposera alors de résultats vraiment significatifs pour le groupe 2 B. » Je demandai à Bill s'il pourrait toujours, comme il l'avait proposé, nous faire entrer, Jules, Berthe et moi dans ce groupe de recherche et si nous devrions nous soumettre au principe du double aveugle. « Non, bien sûr pas vous, répondit Bill, mais il ne faudra surtout pas le dire, j'en fais noir sur blanc une condition préalable au protocole qui nous lie, les producteurs du vaccin, avec l'hôpital des armées où aura lieu l'expérimentation. » Je dis à Bill : « Tu feras cela avec la complicité de Chandi ? — Non, sans elle, il sera effectivement le médecin désigné pour contrôler l'état des sujets vaccinés dans le cours de l'expérimentation, mais il ne saura pas justement qu'on vous aura dégagés auparavant de la loterie statistique du double aveugle. Ce sera lui au contraire qui aura la charge de vous expliquer cette nécessité d'accepter de vous soumettre au principe du double aveugle, et vous devrez jouer le jeu. » Bill laissa un blanc dans son exposé, puis il ajouta : « De toute façon, s'il y avait le moindre problème dans la mise en place pour la France de l'expérimentation, je vous emmènerai tous les trois à Miami, Jules, Berthe et toi, et je vous ferai vacciner par Mockney en personne. »

65

Nous rentrâmes avec Bill et Diego, tous les avions complets pour le week-end du 14 juillet, dans un TGV bondé où nous organisâmes des alternances de confort entre le bar et des recoins du compartiment où nous pouvions rester assis par terre. En rigolant Bill lisait mon livre que je venais de recevoir de mon éditeur, et que je lui avais donné avec la plus réfléchie, la plus grave et la plus affectueuse des dédicaces que je lui avais faites jusque-là, c'était sans doute risqué de ma part. Je gardais au bout des doigts le plaisir qu'ils avaient eu la veille au soir à caresser le dos de ce jeune homme merveilleux, Laurent, et ce fourmillement me remontait jusqu'au cœur, ce parfait exemple de « safer-sex » involontaire le baignait de sensualité. Bill entrait le lendemain à l'hôpital du Val-de-Grâce où il devait subir cette couture chirurgicale de sa ceinture musculaire, et moi je devais attendre, descendant fiévreusement tous les matins chercher dans ma boîte aux lettres cette grosse enveloppe de l'institut Alfred-Fournier que j'avais fait mettre au nom de Gustave et qui portait en travers le tampon « Secret médical », tampon des maladies mortelles, les résultats des dernières analyses que j'avais faites avant mon départ pour

La Coste. Quand je m'étais rendu à l'institut, à jeun, et quand j'en étais sorti, me précipitant vers le plus proche bistrot pour m'abreuver de cafés et me bourrer hystériquement de croissants et de brioches, je m'étais senti très faible, et attaqué par la maladie, j'étais sûr que les résultats seraient mauvais, et me feraient passer dans un autre stade de la conscience de ma maladie et de l'attitude du docteur Chandi et de l'institution médicale par rapport à elle. Or il se trouvait que ce courrier épais plié en quatre que je défroissai en toute hâte ou avec une lenteur suspecte devant ma boîte aux lettres, fonçant sur la feuille qui portait l'indication du niveau des T4, me révélait qu'à ce moment où je m'étais senti tellement affaibli par ma maladie, je me trouvais en fait dans une phase de répit et même de repli de cette maladie car mon niveau de T4 était remonté à plus de 550, dans une fourchette avoisinant la normale, et à un degré qu'il n'avait jamais atteint depuis qu'on entreprenait ces analyses spécifiques de l'action du virus HIV sur la dépopulation des lymphocytes, mon corps avait accompli ce que le docteur Chandi appelait un redressement spontané, sans le secours d'aucun médicament, ni Défenthiol ni quoi que ce soit. Je ressentis, debout devant ma boîte aux lettres, comme un appel d'air vital, un sentiment d'évasion, un élargissement de la perspective générale ; le plus douloureux dans les phases de conscience de la maladie mortelle est sans doute la privation du lointain, de tous les lointains possibles, comme une cécité inéluctable dans la progression et le rétrécissement simultanés du temps. Mes résultats mirent en joie le docteur Chandi dans son cabinet, il en riait, il me dit que l'île d'Elbe, les bains de mer et de soleil, le repos, ce type de vie me réussissaient, mais qu'en même temps je ne devais pas abuser du repos, comme il le pressentait, qu'un repos forcené pouvait être fatal pour les activités vitales. J'allai porter mes résultats à Bill au Val-de-Grâce, il se réveillait à peine de l'anesthésie, il était assoiffé, on lui interdisait de boire, il me demanda de lui parler, de lui parler encore, pour l'empêcher de retomber dans le sommeil, puis la lutte fut tellement pénible qu'il me pria de me taire pour le laisser sombrer, il avait souri en entendant mon nouveau taux de T4. J'allais le voir tous les jours, après le déjeuner, en lui apportant *Le Monde* et *Libération,* il y avait souvent quelqu'un dans sa chambre, pas un ami ou un membre de sa famille mais un collaborateur, un partenaire de travail, des spécialistes se succédaient pour une embauche devant cet homme alité, qui continuait de téléphoner à Miami et à Atlanta pour donner ses directives. Son chirurgien l'avait mis en garde, sa ceinture abdominale se refissura, il devait être plus prudent. Bill engagea un jeune homme pour l'aider à sortir de l'hôpital, à transporter ses bagages, à conduire sa Jaguar et à lui donner le bras, un beau jeune homme métis qui l'accompagna jusqu'à Miami.

66

Fin septembre, Bill me téléphona de Paris sur l'île d'Elbe pour m'avertir qu'il disposait du petit avion de sa société, et qu'il comptait passer nous voir sur l'île après avoir fait une escale à Barcelone, où devait l'attendre le jeune champion de course à pied Tony, qui était à cette époque le garçon de ses rêves. Bill me dit : « En principe je pars demain matin pour Barcelone, si la météo reste bonne ; je voulais juste m'assurer que vous seriez là les trois-quatre prochains jours ; de toute façon je te rappelle de Barcelone. » Mais Bill, en définitive, ne vint pas sur l'île d'Elbe, et il ne prit même pas la peine de nous rappeler, atterré soi-disant, comme nous l'avons appris depuis, par la défection de son Tony. Je jugeai l'attitude de Bill, sinon criminelle à mon endroit et si elle était réellement criminelle il va de soi tel que je suis que je ne m'en rengorgeais que davantage, inamicale au possible, et tout bêtement grossière. Nous obtînmes, par l'intermédiaire de Robin qui le rapporta à Gustave, un supplément d'information quant au lâchage de Bill : les résultats de l'expérimentation du vaccin se révélaient moins probants qu'il ne l'avait espéré.

67

Bill ne réapparut que le 26 novembre, entre trois allées et venues entre Miami, Paris et Marseille où se trouvait le siège de ses affaires en France, nous dînâmes ensemble au *Grill Drouant*, je venais d'encaisser mes derniers résultats, qui étaient mauvais, que j'étais allé retirer à l'institut Alfred-Fournier à cause de la grève générale qui paralysait le courrier et les transports, j'ai lu sur le boulevard en dépouillant l'enveloppe que mes T4 étaient tombés à 368, que je m'apprêtais à raser le seuil au-dessous duquel le vaccin de Mockney ne pourrait plus m'être appliqué, Bill me l'avait dit à plusieurs reprises : « Nous ferons l'expérimentation sur des séropositifs asymptomatiques qui conservent plus de 300 T4, et je m'approchais en même temps du seuil des attaques irréversibles, la pneumocystose et la toxoplasmose, qui se déclenchent en dessous de 200 T4, et dont on retarde donc l'échéance, désormais, par la prescription de l'AZT. De même que je m'étais senti extrêmement faible et diminué par ma maladie, au mois de juillet, en allant à jeun au soleil me faire tirer le sang qui révéla que j'étais en bonne forme, je me sentais puissant et éternel en allant à jeun dans la neige me faire tirer le sang qui révéla que ma santé s'était vertigineusement dégradée en l'espace de quatre mois. Ces nouveaux résultats inquiétèrent à ma suite le docteur Chandi, il réclama une analyse complémentaire, une antigénémie, à savoir la recherche dans le sang de l'antigène P24 qui est l'anticorps associé à une présence active et non plus passive du virus HIV à l'intérieur du corps. Dans la même journée je courus à pied dans Paris paralysé par la grève pour aller chercher ces mauvais résultats à l'institut Alfred-Fournier, et, après les avoir transmis par téléphone au docteur Chandi, retirer à son cabinet l'ordonnance qui prescrivait cette recherche du P24, sur quoi dans la foulée je retournai immédiatement à l'institut Fournier pour faire la prise de sang qui suivait de moins d'une semaine la précédente, on voyait encore dans la pliure du bras l'hématome dans lequel la grosse infirmière désagréable réenfila le biseau de l'aiguille. Ce jour-là on aurait pu me trépaner, me planter des seringues dans le ventre et dans les yeux, j'aurais juste serré les dents, j'avais lancé mon corps dans quelque chose qui le dépossédait apparemment d'une volonté autonome. Le docteur Chandi, au vu des mauvais résultats, avait tenté de m'expliquer la suite du processus : si l'antigénémie se révélait positive, il faudrait refaire un mois plus tard le même type d'analyses pour suivre l'évolution, et si le taux de l'antigène P24 continuait de croître en même temps que dégringolait celui des T4, il faudrait envisager un traitement. Je savais que le seul traitement possible était l'AZT, il me l'avait dit un an plus tôt, et il m'avait prévenu qu'on ne l'administrait qu'en phase terminale, jusqu'à l'intolérance pour ne pas dire la mort. Mais ni lui ni moi, alors, ne fûmes plus capables de prononcer le nom de ce médicament, le docteur Chandi avait saisi par ma façon de contourner le mot que je souhaitais aussi peu l'entendre que le formuler. Je dînai avec Bill dans l'intervalle entre l'annonce des mauvais résultats et le résultat de l'antigénémie. Par calcul je tâchai d'être gai, léger, de ne pas m'engluer dans le pathos de la condamnation. Bill disait en regardant ma face éclairée par la bougie posée sur la nappe blanche : « Le plus incroyable, c'est que ça ne se voit pas, personne je te jure ne pourrait déceler en voyant ton visage, tellement tu as l'air en forme, l'offensive qui se trame par-derrière. » Je comprenais que cela lui procurait une sorte de vertige : la proximité enfin délimitée de la mort, la menace aussi de sa transmission, dissimulée dans ce visage avenant pour l'instant inaltéré, cela le fascinait et lui faisait peur. Bill m'avoua de vive voix, ce soir-là, ce qu'avait déjà répercuté Robin par l'intermédiaire de Gustave : que les résultats du vaccin n'étaient pas aussi bons qu'on l'avait espéré, que chez ses sujets le virus HIV, après avoir abandonné toute présence à l'intérieur de chaque place forte ou véhicule de leur corps, cerveau, système nerveux, sang, sperme et larmes, réapparaissait malignement au bout de neuf mois. On avait immédiatement fait un rappel du vaccin, mais on ne pouvait être sûr du résultat. Bill me fit comprendre que Mockney était désemparé par ce qu'il considérait comme un échec provisoire : qu'il pensait actuellement perfectionner son vaccin en lui ajoutant des anticorps produits par des séronégatifs, volontaires ou amis ou parents proches des séropositifs qui entraient dans ses expérimentations, et qui accepteraient quant aux premiers de se faire inoculer le virus HIV désactivé. Intérieurement je cherchai à quel parent ou quel ami je pourrais faire pour ma part, si cela se produisait mais je n'y croyais plus à l'époque, une demande aussi indicible, et je ne pouvais évoquer aucun nom ni aucun visage sans sentir monter en moi un dégoût invincible, et comme un rejet de tout mon corps du corps étranger qui n'avait pas été contaminé. A savoir de tout autre corps que celui de Jules, Berthe et éventuellement des enfants, avec lesquels je constituais fantasmatiquement un corps unique absolument solidaire.

68

L'antigénémie se révéla positive, je l'appris au bout de dix jours d'attente dans le cabinet du docteur Chandi, par sa voix, tandis qu'il l'apprenait au même moment au téléphone du laborantin de l'institut Fournier, qui en précisait le taux : 0,010 ; la présence offensive du virus HIV, qu'elle faisait apparaître en creux, démarrait à 0,009. La nouvelle à laquelle nous nous attendions, préparée avec précautions par le docteur Chandi depuis des semaines et des mois, m'effondra pourtant. De nouveau tout revacillait. Cela signifiait l'AZT, et peut-être son intolérance, d'incessantes prises de sang de contrôle pour vérifier que la chimiothérapie n'entraînait pas une anémie, que l'hémorragie des globules rouges ne soit pas le mal nécessaire pour assoupir la lymphopénie, et cela signifiait au bout du compte la mort rapprochée de plusieurs crans d'un seul coup, au bord du nez, la mort entre maintenant et deux ans, si un miracle ne survenait pas, si le vaccin de Mockney continuait de foirer, ou si l'accélération de ma maladie me plaçait hors du champ de l'expérimentation. Je dis au docteur Chandi qu'avant de me lancer dans la prise de ce médicament je souhaitais réfléchir. Sous-entendu : choisir entre le traitement et le suicide, un nouveau livre ou deux nouveaux livres sous traitement et grâce au sursis qu'il m'accordait, ou le suicide, également pour m'empêcher de les écrire, ces livres atroces. Apitoyé sur moi-même face au docteur Chandi, j'étais au bord de larmes qui me répugnaient. Tout menu, fragile et démuni, effrayé par ce simulacre de détermination, le docteur Chandi me dit qu'il tenait absolument à me revoir au moins une fois avant mon retour à Rome. J'avais consulté quelques jours plus tôt, dans le Vidal de mes grand-tantes ex-pharmaciennes, les doses en gouttes de la Digitaline, que m'avait conseillée le docteur Nacier, et qui devait permettre de me supprimer dans une prétendue douceur.

69

Je déjeunai finalement le 2 décembre avec le docteur Chandi au restaurant *Le Palanquin*. J'avais choisi une table à l'écart, bien que nous eussions pris l'habitude de soulever tout cela à mots couverts, et que je me contrefichais désormais de l'idée du secret, ayant d'ailleurs apporté à mon éditeur ce manuscrit dans lequel je ne me cachais pas de ma maladie, un tel élément glissé dans un manuscrit déposé chez un tel éditeur ne manquerait pas, sous le sceau du secret, de faire traînée de poudre, rumeur que j'attendais calmement et avec une sorte d'indifférence, car il était de l'ordre des choses, moi qui avais toujours procédé ainsi dans tous mes livres, de trahir mes secrets, celui-ci fût-il irréversible, et m'excluant sans retour de la communauté des hommes. Comme les fois précédentes, avec le docteur Chandi nous parlâmes d'abord, par civilité et pour soulager un peu notre déjeuner de son but pathétique, de choses et d'autres, de la musique qui était son dada, de mes livres, de nos vies respectives. Il me confia qu'il traversait l'inconvénient de se trouver à la lisière de deux appartements et de devoir en visiter chaque jour de nouveaux, de ne pouvoir disposer de ses livres entassés dans des caisses, il avait quitté son ami avec lequel il avait vécu plus de dix ans, et, ajouta-t-il en rougissant, « mon nouvel ami s'appelle comme vous, et il prononça mon prénom. Le docteur Chandi nia ce que m'avait dit Stéphane, et qui m'inquiétait tellement, qui me poussait presque à prendre ma décision, fût-elle anticipée, que le suicide était un réflexe de bonne santé, j'appréhendais le moment où la maladie m'ôterait la liberté du suicide. « Pas plus tard que le dernier jour où vous êtes venu me voir dans mon cabinet, j'en ai eu la preuve, peu après que vous êtes sorti j'ai appris qu'un de mes patients qui était traité depuis un an à l'AZT venait de mettre fin à ses jours, c'est son ami qui m'a appelé pour me prévenir. » Je demandai comment il avait fait. Pendaison. « Mais j'ai aussi des patients traités à l'AZT, continua le docteur Chandi, qui sont en pleine forme physique et morale. Pour l'un d'eux, âgé d'une cinquantaine d'années, tout va on ne peut mieux, sinon qu'il n'a plus d'érections, et qu'on mette cela sur le compte du médicament ce qui m'étonnerait, ou d'un trouble psychologique lié à sa maladie ce pour quoi je pencherais plutôt, ce petit monsieur très vif refuse de s'en faire une raison, il dit qu'il vient de rencontrer un nouvel ami, qu'il souhaite honorer, et il se fait faire toutes les semaines, en plus de ses prises de sang de contrôle, des piqûres dans la verge pour la redurcir. » Ensuite le docteur Chandi me raconta l'histoire d'un garçon épileptique et séropositif qui, lors d'une crise, avait mordu son frère qui tentait de glisser un morceau de bois entre ses dents pour l'empêcher d'avaler sa langue. On avait fait des recherches dans le sang et le sérum du frère pour savoir s'il avait été contaminé par la morsure, et les médecins si tel était le cas envisageaient de lui prescrire de l'AZT à titre préventif.

70

L'avant-dernière fois à ce jour que je revis Bill fut le 23 décembre, le lendemain de ma première visite à l'hôpital Claude-Bernard, nous dînâmes tous les deux au restaurant italien de la Grange-Batelière, une de nos uniques habitudes. Le restaurant était pratiquement vide, continuait d'y sévir le serveur agressif que notre fréquentation avait fini par rendre bonasse, il imaginait pour Bill une vie de milliardaire dilettante, se déplaçant sur cette terre au fur et à mesure que le soleil caressait ses plages, alors que Bill était blême, stressé par les timings du business américain, inquiet quant à la réussite du vaccin sur lequel il avait misé. Il me raconta avoir rendu visite, à Atlanta, à des jeunes hommes du groupe B auxquels on avait administré le vaccin de Mockney, et qu'il avait rencontré, il me dit cela avec une certaine lassitude, des êtres resplendissants, en parfaite santé, qui s'adonnaient au body-building. On avait requis le silence absolu de ces cobayes, leur faisant signer non seulement des contrats par lesquels la firme productrice du vaccin déclinait toute responsabilité en cas de décès ou d'aggravation de la maladie, mais encore des serments par lesquels ils s'engageaient à un mutisme total, et qui les empêchaient, sous peine de poursuites judiciaires, de communiquer à quiconque l'expérience dont ils étaient l'objet. Bill me décrivit parmi eux un jeune homme de vingt ans, spécialement beau, spécialement musclé, mais, hélas, séropositif. Bill me dit que l'expérimentation sur la France devrait débuter en janvier et que Mockney comptait adjoindre à son vaccin des intraveineuses de gammaglobuline qu'on obtiendrait à partir du placenta de mères zaïroises contaminées par le virus. Bill ajouta que le laboratoire qu'il dirigeait était le plus gros acheteur par le monde de placentas qui fournissaient la matière première des gammaglobulines. Mais il était fatigué et je l'étais aussi et c'était, langoureusement, comme si nous ne croyions plus ni l'un ni l'autre à l'hypothèse de ce vaccin et de son action pour enrayer le cours de ma maladie, et comme si, au bout du compte, nous nous en fichions en définitive, mais alors vraiment complètement.

71

Entre-temps nous étions partis avec Jules fêter à Lisbonne notre rituel anniversaire commun. Ce fut un massacre réciproque, j'entraînai Jules au fin fond du fond de l'abîme que fabriquait en moi sa présence à mes côtés, je l'y entraînai obstinément, sans relâche, jusqu'à l'étouffement final. Il s'était gardé, par force ou par faiblesse de caractère, de la souffrance morale, il l'avait ignorée, sauf en accompagnant ses proches qui en étaient atteints, car on aurait dit qu'à dessein il ne choisissait pour amis que des êtres enclins à ces excès de souffrance, j'ai encore dû une nuit de l'été dernier consoler l'amant de Jules qui sanglotait dans la chambre d'à côté, et voilà que je le poussais à découvrir pour son propre compte l'effet dévastateur de la souffrance morale, que je semblais exercer comme un bourreau alors que son action visible sur lui me torturait tout autant, et ajoutait à la mienne en me prostrant à longueur de journées comme un grabataire, j'étais devenu quasiment mourant, j'étais devenu par anticipation l'agonisant que je ne vais pas tarder à découvrir, je ne pouvais plus ni grimper une côte ni remonter l'escalier de l'hôtel, je ne pouvais plus ne pas être couché dès neuf heures du soir, après avoir pourtant fait la sieste tout l'après-midi. Nous n'étions plus capables, Jules et moi, de la moindre chaleur physique. Je lui dis : « Tu souffres du manque d'amour ? » Il répondit : « Non, je souffre tout court. » Dans sa bouche c'était la parole la plus obscène que j'avais jamais entendue. C'est dans le train entre Lisbonne et Sintra, un jour clair ensoleillé, que sa souffrance culmina, je m'étais assis de l'autre côté du couloir, les banquettes comprenaient à peu près six places, nous étions chacun tassé contre la vitre opposée, au départ le train était presque vide mais il se remplit rapidement tout au long de cette ligne de banlieue où les gens marchaient sur les voies, mais toujours ma banquette restait vide, personne ne voulait s'asseoir à côté ou en face de moi, même à proximité de moi, moi qui évitais pourtant de regarder qui que ce soit aux arrêts du train car j'avais compris dans une terreur ironique que les gens auraient préféré s'empiler sur les têtes les uns des autres plutôt que de prendre une place à l'aise à côté de ce type spécial dont leur distance me renvoyait l'image, ils étaient tous devenus de ces chats qui me fuient, des chats allergiques au diable. Jules l'avait évidemment remarqué, et les personnes qui quittaient ma banquette, comme si j'étais puant allaient s'asseoir de son côté, mais je n'osais me retourner dans sa direction pour lui montrer que j'avais compris leur manège et l'accuser d'en être le complice, il était par trop perclus de souffrance. Dans le passage couvert d'une cour d'immeuble qui jouxtait la vitrine d'une épicerie, dans le quartier de Graça à Lisbonne, j'avais aperçu en contre-jour un étalage de figurines translucides qui paraissaient soufflées dans le sucre, j'y retournai pour les acheter, c'étaient des têtes en cire de garçonnets que des parents, autrefois, allaient déposer comme ex-voto à l'église quand leur enfant avait une méningite. Mais il y avait longtemps qu'on n'avait plus recensé dans le quartier de cas de méningite, et l'épicier s'étonna de se débarrasser de cinq têtes d'un coup. Une fois que je les eus disposées sur le rebord du balcon pour les photographier devant le panorama qui englobait le château fort avec ses étendards, le fleuve doré, son pont suspendu, le Christ géant de l'autre rive et les avions qui s'encastraient entre les gratte-ciel, Jules me fit remarquer que ces ex-voto, que j'avais choisis un par un, sans réfléchir davantage, parmi tant d'autres, étaient au nombre de cinq, lui rappelant ce Club des 5 qui symbolisait pour lui notre famille engagée et soudée dans l'aventure du malheur. Ne m'avait pas échappé que Jules, durant ce séjour à Lisbonne, contrairement à ses habitudes lors de nos précédents voyages rituels d'anniversaire, avait comme évité à tout prix de joindre Berthe pour prendre de ses nouvelles et de leurs enfants. Jules avait fui à Paris une sorte de désastre . épuisée par le premier trimestre scolaire, Berthe, de surcroît atteinte d'une otite aiguë, s'était résolue à accepter du docteur Chandi un congé de maladie d'une semaine, tandis que les deux enfants se refilaient l'un après l'autre ce virus de grippe chinoise qui avait déjà cloué au lit 2,5 millions de Français, et le petit Titi, toujours translucide, presque bleuté, n'en finissait pas de cracher ses poumons, régulièrement radiographiés, et massés par un kinésithérapeute qui tentait d'en évacuer les glaires. Le matin de notre départ, en remballant mes cinq figurines de cire, je me décidai, inquiet de ce que Gustave, qui ne répondait plus au téléphone, ne nous ait appelés pour nous souhaiter notre anniversaire, à joindre Berthe pour avoir des nouvelles. Je tombai sur sa mère, toujours aigre-douce, qui me rit au nez lorsque je m'appliquai à lui faire un brin de politesse : « Moi ça va très bien mon cher Hervé, il fait sans doute un temps splendide là où vous êtes, mais ici, figurez-vous, c'est la panique, Berthe vient de partir en catastrophe à l'hôpital pour y montrer Titi, qui a une éruption de plaques rouges sur tout le corps, les paupières gonflées, on ne voit plus ses yeux, un œdème aux genoux et les jambes torves ; au fait, est-ce que vous avez passé de bonnes vacances avec Jules ? » Je raccrochai, Jules était debout à côté de moi, aux aguets. Je lui dis que les nouvelles n'étaient pas à proprement parler excellentes, je ne pouvais pas lui cacher ce que m'avait dit la mère de Berthe. Je voulais aller déposer mes cinq ex-voto dans une église, puisque telle était la coutume en cas de maladie, ils avaient été moulés pour cela, et comme nous étions sans doute tous les cinq malades... Jules me dit qu'il ne croyait pas à ces conneries, le ton monta entre nous, nous avions très peu de temps avant le départ, et je me pressai de sortir avec mon sac de plastique où j'avais emballé mes figurines pour les conduire à l'église la plus proche, que nous voyions sur la gauche en nous penchant du balcon, qui est, je le découvre aujourd'hui en inspectant le plan de Lisbonne que j'ai conservé, la basilique Saint-Vincent. Nous passions presque tous les soirs, en rejoignant notre hôtel, devant une aile latérale de la basilique Saint-Vincent, le long de laquelle s'échelonnaient, des écriteaux l'indiquaient, la sacristie et la chapelle ardente dont la porte restait souvent ouverte, protégée seulement par un rideau mauve, que j'avais une fois entrouvert et qui m'avait dévoilé un mort étendu sur un catafalque blanc, entouré de vieilles femmes qui priaient. Mais ce n'était pas dans la chapelle ardente que je devais précipiter ma petite famille, je devais l'abandonner aux prières des inconnus, comme mes vœux japonais au Temple de la Mousse, sur un autel, et j'entrai par la façade de la basilique Saint-Vincent, glacée, vide, encombrée d'échafaudages sur lesquels deux ou trois ouvriers grattaient et cognaient, goguenards. Je fis plusieurs fois le tour de la basilique tandis que Jules m'attendait au-dehors. Il n'y avait aucun endroit, à l'évidence, où je pouvais déposer mes ex-voto, à l'exception d'une table de cierges coulants, entre lesquels ils auraient immédiatement pleuré toutes les larmes de leur âme de cire. Une sacristaine méfiante veillait à repincer de nouveaux cierges et à racler les amoncellements de cire dans les rigoles de la herse, fixant mon sac de plastique qu'elle revoyait passer avec soupçon pour la troisième fois, je sortis de l'église. Je me dirigeai en compagnie de Jules, qui lui était à la recherche de babioles pour ses enfants, vers la seconde église que j'avais repérée, qui est, selon les indications du plan redéplié aujourd'hui sur mon bureau, l'église Saint-Roc, dont je parcourus un à un les autels, jusqu'à ce que le bedeau, qui éteignait derrière moi leurs illuminations, me chassât de l'église. Je dis à Jules : « Personne ne veut de mes offrandes. » J'hésitai à les laisser dans la première poubelle.

72

J'aimais ces enfants, plus que ma chair, comme la chair de ma chair bien qu'elle ne le soit pas, et sans doute plus que si elle l'avait été vraiment, peut-être sinistrement parce que le virus HIV m'avait permis de prendre une place dans leur sang, de partager avec eux cette destinée commune du sang, bien que je priasse chaque jour qu'elle ne le soit à aucun prix, bien que mes conjurations s'exerçassent continuellement à séparer mon sang du leur pour qu'il n'y ait jamais eu par aucun intermédiaire aucun point de contact entre eux, mon amour pour eux était pourtant un bain de sang virtuel dans lequel je les plongeais avec effroi. L'infirmier psychiatrique qui est venu donner sa piqûre à la femme de pensionnaire devenue folle, après que dans une alternance de prostration et d'agressivité elle eut l'énergie de se jeter par la fenêtre en prenant son élan, brisé in extremis par un coup de poing dans l'estomac, qu'elle eut tenté auparavant d'y bazarder son nouveau-né et tous les objets de l'appartement avec mes livres qu'elle collectionnait, on l'a su après, et barbouillé les murs avec le sang de ses règles, cet étranger qu'elle a giflé dès qu'il a passé la porte a dit aux proches de la folle : « Maintenant il n'y a plus qu'à prier. » Il y a un stade du malheur, même si l'on est athée, où on ne peut plus que prier, ou se dissoudre entièrement. Je ne crois pas en Dieu mais je prie pour les enfants, pour qu'ils restent en vie longtemps après moi, et je mendie des prières à ma grand-tante Louise qui va tous les soirs à la messe. Il n'y a rien actuellement qui me mobilise autant que de me mettre en quête de cadeaux capables de contenter ces enfants : des robes de fée comme elle les appelle, en batiste et en soie, pour Loulou, des peignoirs de bain et des autos lumineuses pour Titi. Rien qui me bouleverse autant que de les serrer dans mes bras à mes retours de Rome, prendre Loulou sur mes genoux pour lui lire un conte, écouter le secret vachard pour son petit frère qu'elle me glisse à l'oreille, et recevoir sur mon épaule dans son mouvement d'abandon la petite tête blonde de Titi après qu'il l'aura pressée, les coudes sur la table, entre ses deux poings collés sur ses tempes, signe d'une fatigue, je le redoute, descendante de la mienne. Rien qui m'enchante autant que d'entendre sa voix flûtée décrocher le téléphone et me lancer après avoir reconnu la mienne : « Allô Coco-banane ? Crotte de bique ! Fesse ! » Je crois que les plaisirs que me donnent ces enfants ont dépassé les plaisirs que me donneraient la chair, d'autres chairs attirantes et rassasiantes, auxquelles je renonce pour l'instant par lassitude, préférant accumuler autour de moi des objets nouveaux et des dessins comme le pharaon qui prépare l'aménagement de son tombeau, avec sa propre image démultipliée qui en désignera l'accès, ou au contraire le compliquera de détours, de mensonges et de faux-semblants.

73

Jules était revenu traumatisé de son voyage à Lisbonne, et par son retour immédiat, trouvant le corps de sa progéniture couvert d'éruptions rouges, les yeux gonflés presque cousus, un œdème aux genoux, dit-il, et les jambes torves, la pédiatre décréta que l'enfant de trois ans faisait une broncho-pneumopathie compliquée d'une allergie aux antibiotiques, je téléphonais tous les jours de Rome où j'étais rentré de mon côté pour prendre de ses nouvelles, j'étais obsédé, paralysé par cette image de Titi, incapable de faire quoi que ce soit, même de poursuivre la lecture de *Perturbation*, de Thomas Bernhard. Je haïssais ce Thomas Bernhard, il était indéniablement bien meilleur écrivain que moi, et pourtant, ce n'était qu'un patineur, un tricoteur, un ratiocineur qui tirait à la ligne, un faiseur de lapalissalades syllogistiques, un puceau tubard, un tergiverseur noyeur de poisson, un diatribaveur enculeur de mouches salzbourgeoises, un vantard qui faisait tout mieux que tout le monde, du vélo, des livres, de l'enfonçage de clous, du violon, du chant, de la philo et de la hargne à la petite semaine, un ours mal léché ravagé par les tics à force d'asséner les mêmes coups de patte, de sa grosse lourde patte têtue de péquenot néerlandais, sur les mêmes chimères, son pays natal et ses patriotes, les nazis et les socialistes, les sœurs, les théâtreux, tous les autres écrivains et spécialement les bons, comme les critiques littéraires qui encensaient ou méprisaient ses livres, oui, un pauvre Don Quichotte imbu de lui-même, ce misérable Viennois traître à tout qui n'en finissait pas de proclamer son génie à longueur de livres, qui n'étaient que de toutes petites choses, de toutes petites idées, de toutes petites rancœurs, de toutes petites images, de toutes petites impuissances sur lesquelles ce violoneux tricotait et patinait sur deux cents pages, sans bouger d'un poil sur le fragment qu'il s'était entrepris de lustrer, de son inégalable alto, jusqu'à l'éclat total ou à l'effacement, au brouillage de ses lignes, prenant la tête du lecteur avec les répétitions de son surplace obsédant, travaillant ses nerfs à petits coups d'archet aussi exaspérants qu'un sillon de disque rayé, jusqu'à ce que ces minuscules tableaux (un enfant pendant la guerre qui s'exerce au violon dans le placard à chaussures de l'orphelinat), ces minuscules trouvailles (le faux musicologue qui prend tout un volume pour convenir qu'il est définitivement incapable d'écrire son essai sur Mendelssohn-Bartholdy) deviennent, gonflés à bloc par la beauté de cette écriture, il fallait bien s'incliner à un moment ou à un autre de cette satire, des mondes entiers en eux-mêmes, de parfaites cosmogonies. J'avais eu l'imprudence, pour ma part, d'engager un jeu d'échecs cuisants avec Thomas Bernhard. La métastase bernhardienne, similairement à la progression du virus HIV qui ravage à l'intérieur de mon sang les lymphocytes en faisant crouler mes défenses immunitaires, mes T4, soit dit en passant au détour d'une phrase, aujourd'hui

22 janvier 1989, comme j'ai donc mis dix jours à me décider à l'avouer, à me résoudre à mettre fin par là au suspense que j'avais mis en place, car le 12 janvier le docteur Chandi m'a révélé au téléphone que leur taux avait chuté à 291, en un mois de 368 à 291, ce qui peut laisser penser qu'après un mois supplémentaire d'offensive du virus HIV à l'intérieur de mon sang mon taux de T4 n'en est plus qu'à (je fais la soustraction au bas de cette page) 213, me plaçant par là, à moins d'improbables transfusions, hors de la possibilité d'expérimentation du vaccin de Mockney et de son éventuel miracle, et frôlant le seuil catastrophique qui devrait être reculé par l'absorption d'AZT si je le préfère à la Digitaline, dont je me suis décidé à acheter un flacon ici en Italie où l'on délivre presque tout sans ordonnance, et si de surcroît mon corps tolère cette chimiothérapie, parallèlement donc au virus HIV la métastase bernhardienne s'est propagée à la vitesse grand V dans mes tissus et mes réflexes vitaux d'écriture, elle la phagocyte, elle l'absorbe, la captive, en détruit tout naturel et toute personnalité pour étendre sur elle sa domination ravageuse. Tout comme j'ai encore l'espoir, tout en m'en fichant complètement au fond, de recevoir en moi le vaccin de Mockney qui me délivrera du virus HIV, ou même de recevoir son simulacre, son double aveugle, de même que j'aspire à être piqué n'importe où et n'importe quand et par n'importe qui comme dans mes rêves pour me faire injecter de la flotte ou de la roupie de sansonnet que je prendrai fermement ou avec scepticisme comme étant le vaccin salvateur de Mockney, quitte à me faire inoculer en même temps par des mains dégueulasses la rage, la peste et la lèpre, j'attends avec impatience le vaccin littéraire qui me délivrera du sortilège que je me suis infligé

à dessein par l'entremise de Thomas Bernhard, transformant l'observation et l'admiration de son écriture, bien que je n'aie lu à ce jour que trois ou quatre livres de lui, et pas la somme accablante qui s'étend sur la page du même auteur, en motif parodique d'écriture, et en menace pathogène, en sida, écrivant par là un livre essentiellement bernhardien par son principe, accomplissant par le truchement d'une fiction imitative une sorte d'essai sur Thomas Bernhard, avec lequel de fait j'ai voulu rivaliser, que j'ai voulu prendre de court et dépasser dans sa propre monstruosité, comme lui-même a fait de faux essais déguisés sur Glenn Gould, Mendelssohn-Bartholdy ou, je crois, le Tintoret, et comme à l'inverse de son personnage Wertheimer qui renonça à devenir un virtuose du piano le jour où il entendit Glenn Gould jouer les *Variations Goldberg*, je n'ai pas baissé les bras devant la compréhension du génie, au contraire je me suis rebellé devant la virtuosité de Thomas Bernhard, et moi, pauvre Guibert, je jouais de plus belle, je fourbissais mes armes pour égaler le maître contemporain, moi pauvre petit Guibert, ex-maître du monde qui avait trouvé plus fort que lui et avec le sida et avec Thomas Bernhard.

74

J'hésite à me fabriquer cette fausse prescription, prise en note d'urgence sur un papelard, avec ses abréviations et, véridiques, ses corrections et ses posologies dictées par le cardiologue que j'aurais joint à Paris avec affolement à cause de la crise de tachycardie de ma grand-tante Suzanne, pour me procurer le poison, la Digitaline, qui serait le contrepoison radical du virus HIV en éteignant ses actions malfaisantes en même temps que les battements de mon cœur, parce que je crains qu'il me suffirait de détenir le flacon, de l'avoir à portée de main pour immédiatement passer à l'acte, sans réflexion, sans que mon geste soit lié à aucune décision découlant de l'abattement ou du désespoir, je me verserais dans un verre d'eau ces soixante-dix gouttes, je l'avalerais, et puis qu'est-ce que je ferais? Je m'étendrais sur le lit? Je débrancherais le téléphone? Je passerais de la musique? Quelle musique? Combien de temps ça prendrait pour que mon cœur cesse de battre? A quoi penserais-je? A qui? N'aurais-je pas soudain envie d'entendre une voix? Mais laquelle? Ne serait-ce pas une voix que je n'aurais jamais pu imaginer avoir envie d'entendre à cet instant? Est-ce que j'aimerais me branler jusqu'à ce que mon sang se fige, jusqu'à ce que ma main vole loin de mon poignet ? Est-ce que je ne viens pas de faire une grosse bêtise ? Est-ce que je n'aurais pas mieux fait de me pendre ? Matou dit qu'un radiateur suffit, en pliant les genoux. Est-ce que je n'aurais pas mieux fait d'attendre ? D'attendre cette fausse mort naturelle délivrée par le virus ? Et de continuer à écrire des livres, et à dessiner, tant et tant et en veux-tu en voilà, jusqu'à la déraison ?

75

Mon livre condamné, celui que j'ai entrepris à l'automne 87 en ignorant tout ou en feignant d'ignorer tout ou presque de ce qui allait m'arriver, ce livre achevé dont j'ai décrété l'inachèvement et requis la destruction auprès de Jules, n'ayant pas le courage de le faire par moi-même et lui demandant d'accepter ce que j'avais refusé à Muzil, ce gros livre interminable et fastidieux, plat comme une chronologie, qui racontait ma vie de dix-huit à trente ans, s'appelait « Adultes ! ». J'avais prévu de lui adjoindre une épigraphe tirée d'une conversation inédite avec Orson Welles, qui remontait à 1982, prise en note par mes soins lors de notre déjeuner avec Eugénie au restaurant *Lucas-Carton* : « Quand j'étais petit, je regardais le ciel, je tendais mon poing vers lui et je disais : " Je suis contre. " Maintenant je regarde le ciel et je me dis : " Comme c'est beau. " Quand j'avais quinze ans je voulais en avoir vingt, échapper à toutes les attitudes de l'adolescence. L'adolescence est une maladie. Quand je ne travaille pas je redeviens un adolescent, et je pourrais aussi bien devenir un criminel. J'adore la jeunesse. Ce moment où l'on est en train de devenir un homme ou une femme, mais où ça n'a pas complètement basculé. Ce moment dangereux. C'est une vraie tragédie de vouloir rester dans l'enfance. Souffrir du manque d'enfance. On appelle ça " bleeding childhood ", une jeunesse qui continue de saigner. » J'avais ce gros livre plat et laborieux sous la main, et, avant même de l'avoir commencé, je savais qu'il serait de toute façon incomplet et bâtard, car je n'avais pas le courage d'affronter sa vraie première phrase, qui me venait aux lèvres, et que je repoussais chaque fois le plus loin possible de moi comme une vraie malédiction, tâchant de l'oublier car elle était la prémonition la plus injuste du monde, car je craignais de la valider par l'écriture : « Il fallait que le malheur nous tombe dessus. » Il le fallait, quelle horreur, pour que mon livre voie le jour.

J'ai trouvé le moyen de faire la vraie fermeture de l'hôpital Claude-Bernard, le matin du 1er février 89, on ne voulait même plus de mon sang, il aurait compliqué le déménagement. Des mouettes volaient dans la brume, j'ai examiné un par un comme si je les photographiais les monticules de détritus : une vieille balance de bois, des pantoufles dans une caisse avec des ampoules de chlorure de potassium, des chaises, des matelas, des tables de chevet, un bac de réanimation dans lequel s'était sédimentée de la neige, trouée par des tuyaux de perfusion. Enfin, dans ce désert, une ambulance est arrivée devant le pavillon de la maladie mortelle, deux brancardiers allaient décharger une civière avec son occupant, je changeais de chemin pour l'éviter, je ne voulais pas le voir, j'avais peur de voir quelqu'un que je connaissais. Mais le cadavre aux yeux vivants m'a rattrapé dans le couloir, il ne pouvait pas attendre le lendemain l'occupation des nouveaux locaux dans l'hôpital Rothschild, il avait besoin de mourir en plein milieu du déménagement. Je ne voulais pas le voir mais il m'a vu, et le regard du cadavre vivant est le seul regard inoubliable au monde. Au-dessus de coussins tachés s'étalaient les affiches de l'association de Stéphane avec leurs réclames pour les brunchs et les séances de relaxation. Le docteur Chandi a fait venir devant moi le docteur Gulken pour émettre un second avis. Le docteur Gulken a dit d'une voix posée : « Je ne peux pas vous cacher que l'AZT est un produit d'une très haute toxicité, qui s'attaque à la moelle osseuse, et qui, pour bloquer la reproduction du virus, gèle en même temps la reproduction vitale des globules rouges, des globules blancs et des plaquettes permettant la coagulation. » L'AZT, fabriqué aujourd'hui industriellement, l'a été en 1964 à partir de semences de harengs et de saumons, dans le cadre de la recherche contre le cancer, qui a vite abandonné son expérimentation pour cause d'inefficacité. En décembre le docteur Chandi disait : « Désormais ce n'est plus une question d'années, mais de mois » En février il avait fait un bond, il disait : « Maintenant, si l'on ne fait rien, c'est une affaire de grandes semaines ou de petits mois. » Et il fixait précisément le sursis accordé par l'AZT : « entre douze et quinze mois ». Le 1er février, Thomas Bernhard n'avait plus que onze jours de vie devant lui. Le 10 février j'ai pris à la pharmacie de l'hôpital Rothschild mes cartouches d'AZT que j'ai cachées sous mon manteau en partant parce que des dealers sur le trottoir me regardaient comme s'ils voulaient me les voler pour des potes africains, mais à ce jour, 20 mars, où j'achève la mise au propre de ce livre, je n'ai toujours pas avalé la moindre gélule d'AZT. Sur la notice du médicament, chaque malade peut lire la liste des troubles « plus ou moins gênants » qu'il peut entraîner : « nausées, vomissements, pertes d'appétit, maux de tête, éruption cutanée, douleurs du ventre, douleurs musculaires, fourmillement des extrémités, insomnies, sensation de grande fatigue, malaise, somnolence, diarrhée, vertiges, sueur, essoufflement, digestion difficile, trouble du goût, douleurs thoraciques, toux, baisse de la vivacité intellectuelle, anxiété, besoin fréquent d'uriner, dépression, douleurs généralisées, urticaire, démangeaisons, syndrome pseudo-grippal. » Désactivation de l'appareil génital, désintégration des facultés sensuelles, impuissance.

77

Le 28 janvier, chez Jules et Berthe où il s'était invité à
dîner pour fêter son cinquantième anniversaire, Bill disait
qu'il n'y a pas de place pour l'imprévisible en Amérique,
dans le business des « capitalist adventurers », pas de place
pour moi, l'ami condamné, dans ce pays où les écarts
sociaux ne cessent de se creuser disait Bill, où les riches
comme lui peuvent tout déduire de leurs impôts, leur
voiture, leur yacht, leur appartement, et leurs systèmes de
protection contre les pauvres nègres, regardez-les ces malheureux, disent les partenaires de cauchemar de Bill après
leurs dîners de cauchemar en verrouillant au feu rouge la
fermeture automatique de leurs portières pour ne pas avoir
à donner un cent au vagabond noir laveur de pare-brise, ce
sont tous des Noirs et ils dorment à même le trottoir
emmitouflés dans des cartons, comment voulez-vous les
aider après ça avec leurs réflexes de bêtes ? Dans ce pays qui
dit ça, il n'y a pas le temps ni la place pour présenter un ami
condamné à son collègue le grand chercheur et le faire
piquer sans dérégler tout le système, et se dévaluer soi-
même aux yeux du grand chercheur. Pour Bill je suis déjà
un homme mort. Un homme en passe de prendre de l'AZT

est déjà un homme mort, qu'on ne repêchera plus. La vie toujours trop fragile n'a que faire de l'encombrement d'une agonie. Pour Bill il faut aller de l'avant si l'on ne veut pas couler soi-même. Tenir la main de son autre ami qui avait basculé dans le coma et lui envoyer des influx de présence par la pression des doigts, il avait renoncé, c'était trop fort pour lui, j'aurais sûrement laissé tomber comme lui. En me raccompagnant chez moi dans sa Jaguar le soir du 28 janvier, Bill m'a dit deux phrases édifiantes : « Les Américains il leur faut des preuves, alors ils n'en finissent pas de faire des expérimentations par-ci par-là, et pendant ce temps les gens tombent comme des mouches autour de nous. » Et : « De toute façon tu n'aurais pas supporté de vieillir. » Mais moi j'aimerais que Bill assomme Mockney pour lui voler son vaccin, et me l'apporte dans le coffre-fort glacé de son petit avion de fonction, celui qui faisait la navette entre Ouagadougou et Bobodioulasso, et qu'il s'abîme avec l'avion et le vaccin qui m'aurait sauvé dans l'océan Atlantique.

Je finis mon livre le 20 au matin. Je plongeai dans l'après-midi en avalant ces deux gélules bleues que je me refusais à prendre depuis trois mois. On distinguait sur leur capsule un centaure avec une queue fourchue qui lançait la foudre, le médicament était rebaptisé Retrovir, vade retro Satanas. Le 21 au matin je commençai un autre livre, que j'abandonnai le même jour, suivant le conseil de Matou, qui m'avait dit : « Sinon, tu vas devenir fou, et arrête tout de suite de prendre ce produit, ça m'a l'air d'une sacrée saloperie. » Le 22 je me sentis parfaitement bien, mais j'eus de violents maux de tête le 23, et bientôt des nausées, un dégoût pour la nourriture et spécialement pour le vin, qui était jusque-là le principal réconfort de mes soirées.

Depuis que je détenais ces munitions, cachées dans un sac de papier blanc derrière des vêtements au fond d'un tiroir, la question avait été de savoir à quelle posologie je devais commencer le traitement. Le docteur Gulken m'avait aiguillé vers un de ses homologues romains, le docteur Otto, qui travaillait à l'hôpital Spallanzani, où je devrais faire tous les quinze jours un bilan sanguin, et me réapprovisionner en produit. Le docteur Chandi affirmait que je devais démarrer à douze gélules par jour, mais le docteur Otto était pour six gélules seulement, il disait : « Avec 12 mg vous allez tout de suite faire une anémie, on devra transfuser, c'est complètement inutile. » A quoi le docteur Chandi répliquait : « Ce serait idiot de se priver de l'efficacité maximale du produit. » Ces tergiversations m'aidaient à reculer devant le traitement, j'avais aussi le prétexte de devoir finir mon livre. Je laissai un message sur le répondeur de Bill à Miami, il me rappela dans la soirée. Je feignis de le consulter sur la posologie, ce qui était bien sûr une façon de le supplier : tire-moi de là, fais quelque chose pour moi, accorde-moi au moins les neuf mois de sursis du vaccin. Mais il fit la sourde oreille, et s'en tint soigneusement au problème du dosage : « Je ne connais pas grand-chose à l'AZT, dit-il, mais j'ai l'impression que Chandi a la main un peu lourde, à ta place je suivrais plutôt le conseil de l'Italien. » On m'avait délivré, à l'hôpital Spallanzani, la fiche qui programmait mes contrôles sanguins sur plusieurs mois, mais je n'avais toujours pas commencé à prendre le produit. Je retournai voir le docteur Otto pour lui avouer que je n'arrivais pas à me jeter à l'eau, il répondit : « Que vous débutiez maintenant ou plus tard, que vous arrêtiez demain et repreniez après-demain n'a aucune sorte d'importance, parce qu'on ne sait rien à ce sujet. Ni quand on doit commencer le traitement, ni à quelles doses. Celui qui vous dira le contraire vous mentira. Votre médecin en France vous prescrit douze gélules, moi six, alors coupons la poire en deux, disons huit par jour. » Le docteur Chandi qualifia ensuite ces propos de dangereux.

80

A sept heures, je croisai ma marchande de journaux sur la place San Silvestro. Etonnée de me rencontrer de si bonne heure, elle me lança : « Bon travail ! » J'allais faire une prise de sang, elle n'avait donc pas tout à fait tort. Mon dossier à l'hôpital n'était pas encore régularisé, il lui manquait de nombreuses pièces à quémander aux administrations française et italienne. Le docteur Otto m'avait dit de me présenter tout de même à huit heures, qu'il préviendrait une infirmière, mais il l'avait oublié, je dus attendre dix heures passées son arrivée. Je vaquai entre les marches du pavillon où frappait le soleil et les deux bancs en formica du premier étage qui constituaient la salle d'attente. Une fille tout en noir, avec un chapeau noir, pressait une écharpe noire contre sa joue en gémissant et se lamentait plus fort aux moments où passait le médecin. Quand il entrait et sortait de son cabinet, c'était comme une nuée de moineaux affolés devant la porte. Un vieil homosexuel crispé lit, dans un dictionnaire des musiciens, la vie de Prokofiev. Un jeune junkie, maussade, doux, l'œil cerné de noir, a posé son blouson doublé de peau de mouton sur la rampe de l'escalier, il se retourne sur les jambes des infirmières. La plupart des malades sont des junkies vieillis avant l'âge, la trentaine mais ils en font cinquante, ils arrivent tout essoufflés au premier étage, leur peau est ridée, bleutée, mais leur regard clair étincelle. Il règne une incroyable fraternité entre ces junkies qui se connaissent et se retrouvent par hasard pour faire leur prise de sang bimensuelle et remporter leur dose d'AZT, ils sont gais, blaguent avec les infirmières. La fille en noir est ressortie toute pimpante de la consultation, l'écharpe tombée de la joue, sans plus prendre la peine de faire aucun cinéma puisqu'elle a grugé tout le monde. Le jeune junkie a été appelé par son nom : Ranieri. Mon infirmière vient me chercher à mon tour et m'entraîne dans une salle commune vide, s'assied près de moi sur un lit pour mettre le garrot. Elle me parle tandis que le sang coule goutte à goutte dans le tube : « Qu'est-ce que tu écris alors ? Des romans noirs ? — Non, des romans d'amour. » Elle éclate de rire : « Je ne te crois pas, tu es trop jeune pour écrire des romans d'amour. » Je dois aller porter moi-même mon tube au laboratoire. En revenant dans l'allée, je croisai mon infirmière dans une petite voiture déglinguée, elle me klaxonna en souriant. Plus loin, en continuant vers l'arrêt du bus, je réalisai que je marchais derrière Ranieri. Son blouson sur l'épaule, le bras nu dépassant de la chemise retroussée, je le vis arracher son pansement en passant devant une poubelle. Il y avait une énergie merveilleuse dans sa démarche, j'hésitai à déborder et le laissai disparaître.

Chaque fois que j'allais au Spallanzani, et j'y retournais plus que de raison, avec un certain entrain, comme à un bon rendez-vous, partant de bon matin dans l'air encore frais pour prendre place de Venise le 319 qui traversait le Tibre jusqu'à la via Portuense, en fait pour observer de l'intérieur les scènes que j'y surprendrais en y laissant mon quota de sang, attendant la douceur qui ne manquait pas de surgir dans la plus grande sauvagerie, errant entre les pavillons déserts, barricadés comme à Claude-Bernard mais avec quelque chose d'estival conçu pour la méridienne, avec leurs stores vénitiens sur les façades rose et ocre, leurs palmiers, passant devant le laboratoire Fleming pour atteindre le Day Hospital, je me faisais invariablement doubler par une voiture corbillard vide qui allait y chercher son corps. J'aimais retrouver le personnel du Spallanzani : l'énorme bonne sœur voilée de blanc propre, avec sa face de bulldog couperosée, un sourire calme dessiné sur les lèvres, glissant sur ses cothurnes blancs, toujours quelque chose à la main, une ordonnance, la nouvelle note intérieure catastrophique ou le panier de bois carré et le bruit de verre de ses tubes pleins de sang qui glissent dans leurs encoches ; la vieille tireuse maquerelle poudrée et fardée, revenue de tout, râleuse comme pas deux mais le cœur sur la main, le cheveu blond trop fin tout juste déroulé du bigoudi, bien embêtée que tous ses enfants soient malades à la fois ; la noiraude frisottée pas vacharde au fond mais catégorique sur le règlement, la meilleure piqueuse ; l'infirmier armoire à glace avec ses poils qui dépassent du col déboutonné, ses grosses pattes gainées de caoutchouc, qui fixe le patient sans jamais inscrire la moindre expression de dégoût ou de sympathie sur son visage, fermé une fois pour toutes ; le brave Napolitain compréhensif qui a toujours un mot chaleureux en français. Le docteur Otto a épinglé au-dessus de son ordinateur une citation de saint François d'Assise : « Aide-moi à supporter ce que je ne peux comprendre. Aide-moi à changer ce que je ne peux supporter. » Les malades, de quelque âge qu'ils soient, dix-huit ou trente-cinq ans, viennent pour la plupart accompagnés d'un parent, les filles avec leur père, les fils leur mère. Ils ne se parlent pas, ils patientent côte à côte sur leur banc, soudés dans le malheur, ils ont soudain un élan de tendresse extraordinaire, ils se prennent la main, le fils s'abandonne sur l'épaule de sa mère. Un cadavre vivant, qui n'a aucun parent pour l'accompagner, qui ne vit plus que d'allées et venues entre l'hospitalisation et un improbable domicile avec une grosse valise qu'il ne peut plus porter lui-même, alors on lui a flanqué une vieille vieille bonne sœur toute en noir, résignée, placide, le menton en galoche, un sourire immuable sur la bouche aspirée par l'absence de dentier, elle mâchonne en lisant un roman-photo. Ce sont les mondes les plus opposés qui soient, mais ils se comprennent, et, dans cette situation, on pourrait dire qu'ils s'aiment. Le cadavre vivant au crâne pelé, aux cheveux comme des touffes de coton gris collées sur une calotte de plastique, revient des cuisines, où la femme ou la sœur d'un autre cadavre vivant vient de mendier dans une barquette un rab de purée, avec une demi-orange, dont il tend un quart à la bonne sœur, qui est bien contente d'avoir un peu de fraîcheur et d'acidité dans la bouche.

82

Le vendredi 21 avril, dîner à Paris avec Bill en tête à tête au *Vaudeville*. Bill : « Mais tu n'as pas du tout les yeux jaunes comme je m'y attendais, j'aurais aussi pensé que ta peau en aurait pris un sacré coup, apparemment tu supportes très bien le produit... » Puis : « On pourra dire que le sida aura été un génocide américain. Les Américains ont précisément ciblé ses victimes : les drogués, les homosexuels, les prisonniers. Il faut laisser au sida le temps de faire son ménage sournois, en douceur et en profondeur. Les chercheurs n'ont aucune idée de ce qu'est la maladie, ils travaillent sur leurs microscopes, sur des schémas, des abstractions. Ce sont de braves pères de famille, ils ne sont jamais en contact avec des malades, ils ne peuvent imaginer leur peur, leur souffrance, le sentiment de l'urgence ils ne l'ont pas. Alors on se perd dans des protocoles qui ne sont jamais au point, et en autorisations qui mettent des années à arriver, pendant que les gens crèvent à côté, et qu'on aurait pu les sauver... Quand je repense à Olaf, bien sûr il m'a fait un coup de salaud en me quittant au bout de six ans de vie commune, mais finalement je lui dois une fière chandelle. Sans lui j'aurais poursuivi ma vie de patachon, et j'aurais immanquablement chopé cette saloperie, tu me verrais dans de beaux draps aujourd'hui. » Bill m'annonce ce soir-là qu'avec Mockney ils ont pris la décision de s'inoculer à eux-mêmes le virus désactivé pour montrer aux sceptiques qu'il n'y a aucun risque.

83

J'ai revu Ranieri, le junkie du Spallanzani, il draguait les touristes allemandes sur les marches de la place d'Espagne. Nos regards se sont croisés, lui aussi m'a reconnu, mais j'ai un avantage sur lui, il ne connaît pas mon nom. Désormais je le rencontre régulièrement, généralement le soir quand nous empruntons avec David la via Frattina pour aller dîner. Ranieri est avec deux potes. Dès que nous détectons la présence de l'autre, quelque chose en nous s'effondre, nous sommes virtuellement démasqués et dénoncés, nous sommes le poison qui se cache dans la foule, un petit signe de plus se tatoue sur nos fronts. Lequel fera chanter l'autre le premier, pour obtenir soit son corps, soit de l'argent pour acheter de la poudre ? Tout à l'heure, je marchais dans la rue vidée par la canicule quand, à un tournant, je me suis heurté dans Ranieri, dissimulés tous les deux derrière des lunettes noires, nous ne nous sommes pas détournés, n'avons changé en rien notre direction ni la vitesse de nos démarches, et aucun n'a voulu céder le pas à l'autre. Du coup nous avancions côte à côte, chacun comme l'ombre de l'autre, d'un pas égal et dans la même direction, nous ne pouvions plus nous décoller sans virer brusquement, ou prendre la fuite. Je me suis dit que le destin me propulsait vers ce garçon, et que je ne devais pas l'éviter. Tout en continuant à marcher à son allure, je me suis retourné vers lui pour lui adresser la parole. Son visage transpirait, je remarquai derrière ses lunettes la fixité vitreuse de ses yeux. Ranieri a opposé à ma voix, à la façon d'une lance ou d'un bouclier, un geste minimal de son index dressé, qu'il agita sous mon nez sans bouger la main pour me dire non, qui était bien plus violent qu'un coup de poing ou un crachat. J'ai alors pensé que le destin, malgré les apparences, veillait toujours sur moi.

84

Bill m'appela a Rome, de Paris où il venait d'arriver, dans le courant du mois de mai. Je lui dis tout de go que j'avais commencé à développer du ressentiment à son égard, et que je préférais le lui avouer pour tâcher de l'évacuer, et restaurer l'amitié qu'il était en train de miner. D'abord lui reprocher son indélicatesse, tout le côté : « Tu n'as pas la peau trop jaune », ou : « Heureusement que j'ai eu Olaf, sinon je serais dans de sales draps aujourd'hui. » Ensuite, plus crucialement, ses promesses, qui remontaient à un an et demi, et qu'il n'avait toujours pas honorées. Je lui rappelai qu'il m'avait donné l'assurance, alors que je ne lui mettais pas le couteau sous la gorge, que je ne lui demandais rien et tout à la fois par la force des choses, qu'il mettrait comme préalable à l'établissement du protocole français l'acceptation de ses amis, et que, si ça posait le moindre problème, il nous emmènerait aux Etats-Unis pour nous faire vacciner par Mockney. Il n'avait toujours rien fait ; à la place de cela il m'avait laissé sombrer dans le creuset, et dans la zone de toutes les menaces. Nous parlâmes pendant une heure. Ce fut un soulagement formidable de part et d'autre Bill me dit qu'il avait senti tout cela, et qu'il était conscient de la légitimité de mes reproches, qu'il n'avait pas bien mesuré le temps. Mais le lendemain, il me rappela de sa voiture, qui roulait en direction de Fontainebleau, pour remettre les choses sur le tapis, mais en retournant vers moi les chefs de l'accusation, il dit « Je ne comprends pas comment tu peux regretter qu'Olaf m'ait empêché d'attraper le virus. » Je répondis : « Je n'ai jamais dit cela bien sûr, mais comme tu l'as dit toi, c'était comme si un ami disait à l'autre : toi tu es du côté du malheur et moi je n'y suis pas, Dieu merci... Mais ce que je te reproche est bien plus grave... » Bill écourta aussitôt la conversation : « Je te rappelle demain, dit-il, j'en ai froid dans le dos à l'idée que quelqu'un puisse nous entendre... » Je lui dis : « Qui veux-tu qui nous écoute ? A un certain point, tu sais, c'est le genre de choses dont on se contrefiche. » Je pensai que Bill ne devait pas être seul dans la voiture, et qu'il avait branché pour son voisin le haut-parleur du téléphone. Il n'appela plus, ni le lendemain, ni de tout l'été.

Un matin, au Spallanzani pour mon bilan sanguin, l'énoncé de mon nom créa une confusion, l'infirmière me tournait le dos pour me cacher quelque chose : que les dix tubes préparés à mon nom, avec les étiquettes, étaient déjà remplis de sang, et attendaient dans leur panier de bois d'être descendus au laboratoire. Je dus chercher avec l'infirmière, dans ce qui restait de tubes vides, un nom qui pouvait correspondre au sang qui remplissait les siens. Nous décidâmes que c'était une certaine Margherita qui avait rempli les tubes d'Hervé Guibert. Mon nom fut recouvert par le sien sur les premiers tubes, et l'infirmière fit de nouvelles étiquettes pour couvrir les tubes marqués au nom de Margherita. On imagine quels malentendus aurait pu entraîner l'inversion. Le tiroir de la petite table sur laquelle on serrait le poing restait ouvert en permanence avec son coussinet de gaze vert-gris de poussière, son vieil élastique pour le garrot, et la seringue avec son tube de plastique flexible dans lequel s'acheminait le sang, trait par un système de pression sous vide. Je pensais souvent, en retrouvant ce matériel tout préparé, qu'il avait dû servir à mon prédécesseur, d'autant plus que l'infirmière n'avait pas l'air de se presser de le jeter à mon départ.

Un autre matin au Spallanzani, je dus me battre pour qu'on me fasse ma prise de sang, parce que j'avais dépassé de dix minutes un horaire qui n'était pas en vigueur la fois d'avant. Au bout d'un quart d'heure de tergiversations avec les infirmières, j'ai pratiquement dû me la faire à moi-même, collectant les tubes vides à mon nom dans le tas des tubes inutilisés, serrant l'élastique autour de mon bras et le tendant à l'infirmière jusqu'à ce qu'elle se décide à piquer. Je me suis vu à cet instant par hasard dans une glace, et je me suis trouvé extraordinairement beau, alors que je n'y voyais plus qu'un squelette depuis des mois. Je venais de découvrir quelque chose : il aurait fallu que je m'habitue à ce visage décharné que le miroir chaque fois me renvoie comme ne m'appartenant plus mais déjà à mon cadavre, et il aurait fallu, comble ou interruption du narcissisme, que je réussisse à l'aimer.

Je n'avais toujours pas le produit pour le suicide, car chaque fois que j'avais sorti dans une pharmacie ma fausse ordonnance prise à la main au téléphone sous l'urgence d'une crise de tachycardie de ma tante avec laquelle je faisais soi-disant un voyage en Italie, malgré la véracité apparente du numéro de téléphone de son médecin à Paris qui était en fait le mien qui ne pouvait pas répondre et les fausses ratures et corrections touchant au nom du produit et à sa posologie, et bien que me trouvant en face d'une personne de bonne volonté qui compulsait ses lexiques, téléphonait au dépôt central ou se penchait sur l'écran de l'ordinateur pour constater que le produit n'était plus disponible, ma démarche ratait, je m'enlisais, et me disais que le destin voulait m'en empêcher. Mais, une fois que sans arrière-pensée, un jour de beau temps où j'étais entré dans une pharmacie avec l'idée d'acheter du dentifrice et du savon, j'ajoutai soudain à la liste, après le mot Fluocaryl : de la Digitaline en gouttes, la pharmacienne me dit d'abord que le produit ne se faisait plus. Elle me demanda pour qui c'était, et pourquoi. Je répondis, de la façon la plus détachée (en fait j'avais renoncé à cette entreprise et je souhaitais au fond qu'elle loupe une bonne fois pour toutes) : « C'est pour moi, j'ai des problèmes de rythme cardiaque. » La pharmacienne, comme les autres, feuilleta son Vidal, chercha sur son ordinateur, et me rapporta deux produits similaires en gouttes. Le fait que j'hésitai à m'emparer de ces ersatz joua en ma faveur : je démontrai le contraire de l'impatience liée à une dépendance. La pharmacienne me dit de repasser le lendemain, elle allait faire le nécessaire pour me trouver le produit original. Quand, le lendemain, j'entrai à tout hasard dans la pharmacie, dès que j'eus passé la porte, malgré la cohue des clients qui attendaient de se faire servir et les lunettes noires qui cachaient mon visage, la pharmacienne détecta immédiatement ma présence, et elle m'interpella de l'autre bout du magasin, d'un air triomphal : « Elle est arrivée la Digitaline ! » De ma vie jamais aucun commerçant ne m'a rien vendu avec autant de jubilation. La pharmacienne enveloppa le produit dans un petit morceau de papier kraft, ma mort coûtait moins de dix francs. Elle me souhaita une bonne journée d'un air radieux et solennel, comme si elle eût été une employée d'une agence de voyages qui venait de me vendre un tour du monde, et me souhaitait bon vent.

Jeudi 14 septembre : je suis impatient, en allant dîner chez Robin, de faire la connaissance d'Eduardo, ce jeune Espagnol que Bill a pris sous sa coupe depuis qu'ils ont appris sa séroposivité. Eduardo est arrivé le matin même de Madrid, et repart le lendemain retrouver Bill aux Etats-Unis. Robin m'a fait asseoir à côté de lui, je l'observe de biais, à la dérobée. C'est un jeune homme gracile, comme un faon trébuchant, qui rougit facilement, il est habillé sans grâce mais chacun de ses gestes est d'une élégance languide. Il ne parle pas. Il veut écrire. Son regard porte déjà cette panique que je surprends dans le mien depuis deux ans. A peine avons-nous commencé à manger que le téléphone sonne, c'est Bill, notre démiurge nous espionne à distance, Robin se déplace de table pour lui parler tranquillement dans l'escalier. Il revient en me disant que Bill me demande. Il ne m'a plus rappelé depuis le mois de mai, ce fameux coup de téléphone de sa voiture. J'hésite à faire répondre que j'ai une extinction de voix, ce serait trop spectaculaire par rapport à l'assemblée. Robin me dit, en me tendant le téléphone sans fil : « Prends-le dans l'escalier, vous serez plus à l'aise. » La voix de Bill, lointaine et grésillante, avec l'écho qui nous coupe : « Alors, tu as toujours du ressentiment à mon égard ? » Il y a une telle morgue dans le ton que je feins de ne pas comprendre, j'enchaîne : « Tu es à Miami ? A Montréal ? — Non, à New York, angle 42e-121e, soixante-seizième étage. Mais je te demandais si tu étais toujours en rogne contre moi ? » Je continue de faire la sourde oreille : « Vous allez gagner ou vous allez perdre ? » (On parle dans les journaux de la lutte sans merci qui oppose la firme Dumontel, pour laquelle travaille Bill, à la firme anglaise Milland dans la compétition du rachat d'un producteur de vaccins canadien, qui pourrait diffuser à grande échelle le sérum de Mockney.) « On a perdu la première manche, répond Bill, mais nous n'avons pas dit notre dernier mot. Je te rappelle demain, est-ce que tu pourrais me passer Eduardo ? » J'hésite, en revenant à table avec le téléphone portatif, de balancer à l'assistance : « On demande le prochain séropositif. » J'eus un soupçon ce soir-là mais il était trop vertigineux pour que j'y croie moi-même.

89

Le 20 septembre, dîner au *China's Club* avec Robin : son écoute extraordinairement attentive et amicale me permet, pour la première fois, d'exposer un peu clairement ma théorie à propos de Bill, que Jules se refusait à entendre jusque-là, disant qu'à certains moments il ne fallait pas étouffer le sentiment de l'urgence sous des divagations romanesques. De même que le sida, dis-je à Robin en contournant le moyeu de mon hypothèse, aura été pour moi un paradigme dans mon projet du dévoilement de soi et de l'énoncé de l'indicible, le sida aura été pour Bill le parangon du secret de toute sa vie. Le sida lui a permis de prendre le rôle de maître du jeu dans notre petit groupe d'amis, qu'il manipule à la façon d'un groupe d'expérimentation scientifique. Il a enrôlé le docteur Chandi comme intermédiaire, comme paravent pour lui entre le monde des affaires et celui des malades. Le docteur Chandi est un exécutant de son dessein, un pôle chargé de retenir les données les plus secrètes et, paradoxalement, de ne pas les diffuser. Pendant un an et demi, pour sauver soi-disant ma peau, j'ai dû être transparent vis-à-vis de Bill : devoir répondre à tout moment du taux de ses T4 qui dégringolent, c'est pire que de montrer ce qu'on a dans la culotte. Bill, grâce au leurre du vaccin de Mockney, aura réussi à me faire bander un an et demi devant lui. Quand j'ai voulu me dégager de cette emprise, en la dénonçant, il a dû se sentir démasqué, et craindre de perdre sa place de maître du jeu dans ce réseau de relations amicales qu'il a savamment tissées entre toi et moi, ton frère, Gustave, Chandi, et tout le petit clan, en confiant aux uns ce qu'il cachait aux autres. Je pense qu'il s'est spécialement fixé sur toi par l'entremise du destin de ton frère, et sur moi directement menacé, parce que nous sommes des gens qui accomplissons ce qu'on appelle une œuvre, et que l'œuvre est l'exorcisme de l'impuissance. En même temps la maladie inéluctable est le comble de l'impuissance. Des êtres puissants en puissance de par leur œuvre réduits à l'impuissance, voici les créatures fascinantes qu'a pu modeler Bill en étendant sur eux la puissance fictive du salut. Bill ne pouvait pas supporter mes reproches : si je les communiquais à notre groupe, elles mettaient à bas son entreprise. Il a pris les devants en les retournant contre moi, en les saupoudrant sur les différentes antennes du groupe : Chandi, toi, Gustave, me reprochant de lui avoir fait des reproches injustifiés, et masquant l'accusation principale sous des critiques périphériques, qui pouvaient en effet passer pour des vétilles. C'est pourquoi je pense qu'il y avait quelqu'un dans sa voiture au moment où il m'a téléphoné, et m'a dit, traqué : « J'arrête là notre conversation, j'ai trop peur que quelqu'un puisse nous entendre », parce qu'il avait besoin d'un témoin dans ce revirement des chefs d'accusation. A partir de là, il tenait son prétexte pour me laisser tomber sans devoir en rendre compte dans le groupe (« il a perdu la tête, on ne peut plus

248

rien pour lui »), et raccrocher un autre modèle à son plan, qui fonctionne comme un mirage. La prochaine alouette est donc Eduardo, le jeune Espagnol, lui permettant de faire durer encore un peu ce jeu qui, par coïncidence, savait si bien l'assouvir.» Ce ne sont pas exactement ces mots que j'ai dits devant Robin puisque lui me dit à la fin : « Je n'oublierai jamais aucune des paroles que tu as prononcées ce soir.»

J'ai cru réapercevoir Ranieri, le junkie, dans les jardins de la Villa. Il se faufilait dans le Bosco en direction de mon pavillon. Je suis retourné à la pharmacie pour réclamer, à trois semaines d'intervalle, la seconde dose de Digitaline, nécessaire pour l'arrêt du cœur. La pharmacienne avait cette fois quelque chose d'un peu inquiet sur le visage, elle me demanda : « Il vous fait du bien, ce produit ? » Je répondis : « Oui, il est très doux. »

Samedi 7 octobre, sur l'île d'Elbe : à peine venons-nous de rentrer dans la maison avec les objets et les cartons que nous avons rapportés de mon pavillon à Rome, le téléphone sonne, Gustave décroche, je l'entends dire : « Oui, Bill. » Excité comme une puce, Bill appelle de New York, nous apprendrons qu'il s'est fait sonner les cloches par Robin, il dit que le vaccin de Mockney a enfin reçu, la veille, la licence d'une organisation très peu laxiste, qui bloquait tout jusqu'à nouvel ordre, ce qui allait permettre de multiplier les expérimentations aux Etats-Unis : « Comme ça, s'il y a le moindre problème pour toi sur le protocole français, tu viendras trois-quatre jours à Los Angeles, et on te fera tes rappels à Paris. » Après un passage à Genève, Bill se trouvera à Paris à la fin de la semaine, il propose que nous fassions le point tous les trois avec Chandi, « mais, ajoute-t-il, ce n'est pas moi qui peux demander ce rendez-vous ».

Vendredi 13 octobre, à midi, dans le cabinet du docteur Chandi. D'emblée il me dit qu'il va falloir tricher pour me faire entrer dans le protocole français. Il s'agit du premier groupe, qui porte sur une quinzaine de personnes seulement, sans double aveugle, destiné à tester la toxicité du produit. Les candidats ne doivent avoir subi aucun traitement, et avoir plus de 200 T4. Les toutes dernières analyses m'en donnent 200 pile. Il ne suffit pas de mentir en disant au médecin des armées, responsable clinicien de l'expérimentation : « Je n'ai jamais pris d'AZT », mais de faire disparaître toute trace du produit dans mon sang. L'AZT se signale immédiatement par une augmentation du volume globulaire, pour le faire redescendre dans mes analyses il faudrait que j'arrête le traitement au moins un mois avant la première prise de sang. Et cette interruption du traitement risque de me faire chuter en dessous de 200 T4, ce qui m'expulserait aussi. Le docteur Chandi, trop empressé à me parler du vaccin, n'a pas remarque dans quel état je suis : j'ai maigri de cinq kilos, et l'épuisement me talonne de nouveau. Dans son œil je lis la panique : que nous sommes coincés l'un et l'autre, à cause de Bill, à moins d'acrobaties improbables. Pour la première fois j'ai pitié du docteur Chandi, que je vois soudain, l'espace de cette seconde de vérité où lui doit me voir comme l'homme irrémédiablement condamné, comme un loufiat de Bill.

Le rendez-vous a été fixé le dimanche 15 octobre, à 15 h 30 chez Bill. Jusqu'à la dernière minute j'ai pensé qu'il se débinerait. Le docteur Chandi a dit : « C'est important de le coincer, pour le mettre au pied du mur, comme ça nous serons chacun un témoin l'un pour l'autre en regard d'éventuels engagements de la part de Bill. » J'ai de l'avance, je me recroqueville sur un banc, dans le square qui borde l'église Notre-Dame-des-Champs, et vois arriver Bill qui sort de sa Jaguar, avec ses lunettes noires et ses clefs à la main, traversant le boulevard de son pas rebondi de vieux cow-boy cool, bientôt suivi du docteur Chandi, qui a garé sa nouvelle voiture rouge derrière la Jaguar de Bill, et marche en courant, sa chemise entrouverte, des baskets aux pieds et des dossiers sous le bras. J'ai soudain l'impression que c'est moi qui manipule ces deux individus. Je laisse passer quelques secondes avant de m'engouffrer à mon tour sous le porche où vient de disparaître Chandi, notre entrevue à trois n'aura donc eu aucun préambule à deux. Bill m'accueille chaleureusement : « Alors voilà notre cher Hervelino, qui n'a pas l'air en si mauvais état que ça ! » Je m'aperçois, car Bill nous abreuve immédiatement de paroles, nous avons droit à une conférence magistrale sur l'historique du vaccin et les problèmes éthiques afférents, pour noyer le poisson pensé-je, que je suis l'objet, depuis l'apparition de ma maladie, d'une sorte de schizophrénie : autant je saisis parfaitement le discours de Bill, si complexe soit-il, tant qu'il reste dans la généralité scientifique, autant je m'opacifie dès qu'il en va de mon propre cas. Je n'y comprends plus rien, je me bloque, si je pose une question cruciale j'oublie aussitôt sa réponse. Chandi a brisé le laïus bien huilé de Bill : « Et qu'est-ce que tu peux faire concrètement pour Hervé ? » Le docteur Chandi, tout tremblant de l'importance de sa demande, est venu raccrocher à mon cas un autre cas limite qui lui tient à cœur, celui d'un patient qui navigue autour de 200 T4, et qui est traité à l'AZT, il dit à Bill : « Si tu fais vacciner Hervé aux Etats-Unis, est-ce que tu pourrais aussi faire quelque chose pour un second cas analogue ? » Je vois au visage de Bill, qui ne veut rien laisser transparaître, que cette demande lui procure une jubilation profonde, qu'elle le conforte dans le sentiment de sa puissance, et que tenir sa parole tout comme la trahir ne fera que renforcer en lui cette puissance aveugle. Il a un étrange sourire crispé sur les lèvres, une absence momentanée liée à sa jouissance, et à Chandi qui lui réclame la grâce d'un homme il laisse vulgairement tomber : « Tant que ça ne sera pas des charters... Oui, ce que j'ai fait pour Eduardo, je peux bien le faire après tout et pour Hervé et pour un inconnu pourquoi pas... » C'est alors, le plus calmement du monde, que Bill se met à expliquer cette chose estomaquante : comment il a procédé pour Eduardo, ce jeune Espagnol qu'il ne connaissait pas trois mois plus tôt, qui est le frère du Tony dont il était amoureux, et dont les parents s'étaient opposés à ce qu'il parte vivre aux Etats-Unis avec Bill. Eduardo vient donc d'être infecté par son amant, un photographe de mode, qui se meurt dans un hôpital madrilène, dans des conditions dit Bill qui dépassent largement celles que tu as connues à Rome. Averti par son frère de la position-clef de Bill, Eduardo lui a écrit des lettres bouleversantes, « je te les ferai lire, m'a dit Bill, tu jugeras, mais je crois qu'un écrivain est né ». Quand Bill nous fait comprendre que l'injection d'Eduardo a eu lieu, je manque de sortir de la pièce en claquant la porte, mais je me ravise, et écoute ce récit si émouvant avec un sourire attendri. Chandi a une espèce de trouble physique, comme s'il suffoquait, il renverse la tête en arrière, ferme les yeux et les presse, respire difficilement. Puis il sort le courrier qu'il a reçu de la société Dumontel, qui lui précise de quelle façon sera rétribué son travail pour ce qui est de l'expérimenta-tion : comme un chasseur de têtes, au nombre de patients recrutés et piqués, ce qui ne correspond pas du tout à ce que lui avait fait miroiter Bill. Je demande : « Et qu'est-ce qu'on fera si je tombe en dessous de 200 T4 ? » « Il faudrait voler le produit », répondit Chandi. Et Bill : « On entrera dans la clandestinité. » Rien de ferme n'a été décidé pour l'heure à mon propos. Mais je dois dîner ce soir avec Bill, il me l'a fait comprendre par un clin d'œil au moment où nous nous sommes quittés sur le boulevard avec Chandi.

94

Edwige comme Jules, avertis au téléphone, me disent que j'ai un courage fou d'aller dîner avec cet enfoiré. Jules est d'un seul coup très monté contre Bill, révolté, dégoûté, il en a les larmes aux yeux, il dit : « Tu n'es pas à proprement parler un mythomane ; ce qui est grave n'est pas tant que Bill n'ait pas tenu ses promesses, mais qu'il te les ait faites. Je comprends maintenant à quel point Chandi est généreux. » Il me demande d'emporter une aiguille, de presser mon doigt troué, dès que Bill s'absentera de table, au-dessus de son verre de vin rouge, et de le lui avouer le lendemain. J'ai décidé d'être calme, d'aller au bout de cette logique romanesque, qui m'hypnotise, au détriment de toute idée de survie. Oui, je peux l'écrire, et c'est sans doute cela ma folie, je tiens à mon livre plus qu'à ma vie ; je ne renoncerais pas à mon livre pour conserver ma vie, voilà ce qui sera le plus difficile à faire croire et comprendre. Avant de voir le salaud dans Bill, j'y vois un personnage en or massif. En m'ouvrant sa porte il commence sur les chapeaux de roue, il dit : « Tu as vu ce trouble qu'a eu Chandi, c'est bizarre non, comment tu expliques ça ? » Puis, faisant mine de m'étrangler : « Ah ! eh bien tu as eu du ressentiment pour moi, mais dis-toi que moi j'ai eu de la haine pour toi, de la haine tu m'entends, tu sais ce que c'est ? » En m'asseyant sur son canapé et en prenant une cigarette, m'escrimant sur un briquet en forme de canette de coca-cola, je lui dis : « C'est un sentiment très fort, en effet, tu veux qu'on en parle ? » Mais Bill ne veut pas qu'on en parle, justement, il dévie la conversation sur ses sempiternels problèmes d'éthique, sur la malhonnêteté des chercheurs et l'urgence à sauver les malades. Je lui dis que j'ai maigri de cinq kilos, et que je ressens comme une atrophie de mes capacités musculaires. Il me demande si j'ai eu des diarrhées : « Alors c'est ton intolérance au médicament, ton foie saturé ne peut plus filtrer les aliments, voilà pourquoi tu dépéris. Chandi te donne cette saloperie continûment, sans faire de répit ? Il est parfait, Chandi, malheureusement il n'est pas titré universitairement, et on va devoir le chapeauter pour l'expérimentation par un chef de clinique... » Je demande à Bill, puisqu'il a eu lui-même des problèmes hépathiques, si le foie reprend rapidement : « Et comment ! On te greffera un tout petit morceau de foie, même pas un lobe hein, et ça reprendra, comme du chiendent ! » Je lui dis : « C'est ce qu'on t'a fait à toi ? » Et lui : « Oh là ! Comment tu y vas ? Non, moi ce qu'on m'a fait ce n'est qu'une biopsie, heureusement, un prélèvement d'une toute petite particule du foie pour voir comment je me remettais de mon hépatite. »

95

Jules m'avait demandé de quelle façon la substance immunogène de Mockney pouvait se substituer au virus. « Elle ne s'y substitue pas, a répondu Bill, et voilà aussi pourquoi elle est si décriée, parce que c'est malgré tout du virus qu'on injecte, même s'il est désactivé, et les chercheurs concurrents disent qu'on ne peut pas injecter le virus à des séronégatifs, il manque encore au produit certains adjuvants, les gammaglobulines ne suffisent pas. » Bill m'a expliqué que le virus est si diabolique parce qu'il se divise pour mettre en jeu un processus de leurre, qui épuise le corps et ses capacités immunitaires. C'est l'enveloppe du virus qui fait office de leurre : dès que l'organisme décrypte sa présence, il envoie ses T4 à la rescousse, qui, massés sur l'enveloppe et comme aveuglés par elle, ne détectent pas le noyau du virus, qui traverse incognito la mêlée pour aller infecter les cellules. Le virus HIV, quand il se déclenche, joue à l'intérieur du corps à une corrida, où la cape rouge serait l'enveloppe, l'épée de mort le noyau, et la bête épuisée l'homme. L'immunogène de Mockney est une sorte de double clairvoyant du virus, qui lui fait office de décodeur, en apprenant au corps, par la réactivation du système immunitaire et la production d'anticorps spécifiques, les réflexes adéquats pour détecter en clair le programme de destruction du noyau, jusqu'alors brouillé par la parade de diversion développée par l'enveloppe. Il n'est plus question que Mockney et Bill s'inoculent le vaccin.

Bill demande une table à l'écart, dans la salle du fond du *Grill Drouant,* où il n'y a personne, il dit à la femme : « Nous avons des affaires ultra-importantes à discuter. » Il poursuit, en dévisageant les dîneurs de la première salle : « Comme ça personne ne pourra nous entendre... A Montréal j'ai été suivi. D'abord un type jeune dans le hall de l'hôtel, pas mal, vingt-cinq ans, pas vraiment le genre de l'hôtel, je n'ai pas trop fait attention. Mais je le recroise dans une rue du quartier chaud, tard dans la nuit. Il y a là-bas une boîte avec des strip-teases d'étudiants qui ont trouvé comment boucler leur mois, tu es assis et ils défilent devant toi sous ton nez, tu leur glisses deux dollars dans le string et ils l'enlèvent, vingt dans la chaussette et ils s'approchent un peu plus. En sortant de cette boîte je retombe sur ce type, ça m'a semblé bizarre. J'ai fait deux fois demi-tour dans deux rues parallèles, un vieux truc qu'on m'a appris à Berlin pour les espions de l'Allemagne de l'Est. Le type me suivait toujours. Je l'ai égaré dans le quartier hétérosexuel. Dans le hall de l'hôtel, il était toujours là, j'ai fait semblant de ne rien remarquer. Mais en montant dans l'ascenseur, dans une glace j'ai vu qu'il sortait un calepin pour noter quelque chose. Je pense que c'est la firme concurrente, Milland, qui paye ce type. J'ai peur d'un chantage, de moyens de pression, peut-être que je m'en suis rendu compte trop tard, et qu'ils ont pris des photos les dernières fois que je m'étais un peu amusé dans la boîte. L'homosexualité dans ce monde, c'est possible tant qu'on n'en parle pas. Mais il ne faut pas que ça apparaisse. » Je n'ai pas demandé à Bill ce qu'il fabriquait à Berlin après la guerre avec les espions de l'Est. De tout le dîner, Bill n'a pas quitté des yeux son verre de vin rouge du Chili, et il ne s'est pas non plus absenté pour aller aux toilettes.

Je continuai de me dédoubler au cours du dîner, en remettant sur le tapis l'affaire Eduardo. Bill semblait répondre en toute innocence à mes questions, comme s'il ne soupçonnait pas quel traître en puissance j'étais moi aussi. J'affichais le plus grand détachement, sérénité et émotion devant ce beau conte de fées. Je lui dis : « Ça a dû être un moment très bouleversant... C'est peut-être toi qui lui as fait l'injection ? Ou bien, j'espère, tu étais présent ? — Bien sûr, répondit Bill. — Et quelle revanche pour toi vis-à-vis de cette famille conservatrice qui t'avait empêché d'enlever leur fils aîné... — Tu ne sais pas la meilleure, dit Bill. Le père d'Eduardo et de Tony est le dirigeant pour l'Espagne de la firme Milland, notre concurrent n° 1... Je me doutais que ce détail ne manquerait pas de te plaire... En tout cas j'ai pris des risques énormes pour Eduardo... » « Des risques énormes », commenta Robin à qui je relatai cela, « et ce n'est pas bien de le dire, mais qui n'auront servi à rien ». Eduardo a plus de 1000 T4, il vient d'être infecté : s'il y avait une urgence à définir dans l'entourage de Bill, ce n'était certainement pas celle-là.

Le 16 octobre, après avoir lutté pendant plusieurs semaines avec une sensation de brûlure au côté droit et une acidité de plus en plus insoutenable, je prends sur moi d'arrêter l'AZT. J'en préviens le 17 octobre le docteur Chandi au téléphone, et j'ajoute : « Ce n'est peut-être pas le moment de lancer des prophéties si lugubres, mais je crois que ni vous ni moi ne pouvons compter sur la parole de Bill. Bill n'a pas de parole, il l'a prouvé en se déliant sans explication d'engagements pris il y a un an et demi, qu'il serait contraint de discréditer aujourd'hui, par lâcheté. Bill est un fantoche qui ne fait rien par générosité, ni par humanité. Il n'est pas dans notre monde, il n'est pas dans notre camp, ce ne sera jamais un héros. Le héros est celui qui assiste l'agonisant, c'est vous, et c'est peut-être moi, l'agonisant. Bill ne sera jamais fichu d'assister aucun agonisant, il a bien trop peur. Quand il s'est retrouvé à l'hôpital devant son ami tombé dans le coma, alors que le frère de cet ami l'incitait à communiquer par pressions de la main, il n'a pu tenir la main qu'une seconde, l'a lâchée sous le coup de l'effroi, et ne l'a plus jamais reprise. »

99

De nuit, en quittant l'aéroport de Miami pour regagner son domicile, Bill prend dans ses phares un jeune homme hirsute, qui court nu-pieds, en short, le long de l'autoroute. Il le fait monter dans sa Jaguar américaine, l'emmène chez lui, le décrasse dans sa baignoire à l'exception du sexe que l'énergumène ne lui laisse pas toucher, même au lit dans le noir. Le lendemain, Bill l'emmène dans des magasins pour l'habiller de pied en cap, le garçon l'appelle son oncle. S'inquiétant, le surlendemain, que le garçon l'appelle mon père, Bill, devant de surcroît s'absenter pour un voyage d'affaires, accompagne le garçon dans une auberge de jeunesse, où il règle son gîte pour une dizaine de nuits, ajoutant cinquante dollars de la main à la main. Quand Bill rentre de son déplacement, tous ses systèmes de sécurité sont en alarme : celui de son garage, celui de son ascenseur privé, celui de l'appartement. Les vigiles apprennent à Bill que le jeune homme en costume n'a pas cessé, nuit et jour, de tenter de forcer leurs barrages, se faisant passer pour son fils, abandonné par un père indigne. Bill trouve son répondeur comblé par les messages du garçon, il se fait dénuméroter, et inscrire sur une liste rouge. A peine le nouveau numéro est-il en fonctionnement que le garçon, qui vient de l'obtenir d'un gardien novice, rappelle son père putatif. Bill n'en peut plus, fait dénuméroter son téléphone une deuxième fois, en rentrant de nuit d'un autre déplacement aperçoit le garçon, de nouveau hirsute, pieds nus et en short, déboucher d'un buisson et se cogner dans la Jaguar qui bifurque. Bill le menace devant les vigiles alertés d'appeler la police. Sitôt rentré chez lui, ayant débranché son système d'alarme au trente-cinquième étage du gratte-ciel et coupé les micros qui aboutissent dans le bureau des vigiles, le téléphone sonne, Bill décroche, il entend la voix doucereuse et implacable d'un homme qui lui dit : « Allô ? Ici Plumm, le dresseur de singes. Je vois que vous appréciez les petits singes, je viens de recevoir un nouvel arrivage que j'ai commencé à dresser. Si vous êtes intéressé, n'hésitez surtout pas de me le faire savoir, je vous laisse mon numéro. »

100

La mise en abîme de mon livre se referme sur moi. Je suis dans la merde. Jusqu'où souhaites-tu me voir sombrer ? Pends-toi, Bill ! Mes muscles ont fondu. J'ai enfin retrouvé mes jambes et mes bras d'enfant.

Composition Bussière
et impression S.E.P.C.
à Saint-Amand (Cher), le 13 février 1992.
Dépôt légal : février 1992.
1ᵉʳ dépôt légal : février 1990.
Numéro d'imprimeur : 394.
ISBN 2-07-071890-5./Imprimé en France.

55453